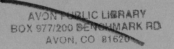

JÓVENES GOLFISTAS

Escrito por Richard Simmons
Introducción de Nick Faldo
Traductor Alberto Coscarelli

EDITORIAL MOLINO

Un libro Dorling Kindersley

Dirección editorial del proyecto Selina Wood
Diseño Jacqueline Gooden
Dirección editorial ejecutiva Mary Ling
Dirección artística ejecutiva Rachael Foster
Asesor Nigel Blenkname
Fotografía Steve Gorton
Diseño compaginado Almudena Díaz
Selección ilustraciones Angela Anderson
Producción Lisa Moss
Traducción Alberto Coscarelli

Jóvenes golfistas
Clare Blenkame, Nicholas Blenkame, Amy Swales,
Matthew Swales

Publicado en lengua castellana por
EDITORIAL MOLINO
Calabria, 166 08015 Barcelona
ISBN: 84-272-4973-X

Febrero 2000

Impreso en Italia Printed in Italy

Sumario

A todos los jóvenes golfistas

"**T**ODAVÍA RECUERDO el momento en que decidí ser golfista. En 1971, mientras miraba un programa de televisión, vi a Jack Nicklaus jugando el US Masters en el Augusta National. Yo tenía 13 años. Al cabo de poco tiempo, dedicaba todos mis minutos libres del día a practicar, jugar y leer cosas sobre el golf. En 1975, me convertí en el ganador más joven del campeonato amateur inglés. Como vosotros estáis a punto de descubrir, el golf exige un aprendizaje que dura toda la vida. No hay atajos para alcanzar el éxito: las clases y la práctica constante es el único camino hacia delante. Las lecciones de este libro os pondrán en el camino de una larga y gratificante experiencia. Disfrutad del juego y de las muchas satisfacciones que os tiene reservadas."

Aquí estoy sosteniendo el famoso trofeo del British Open después de mi victoria en Muirfield en 1992.

En 1987, tenía las miras puestas en lograr mi primera victoria en uno de los grandes en Muirfield.

Uno de los grandes momentos de mi carrera ha sido representar a Europa en la Ryder Cup.

¡Siempre me ha encantado practicar! Aquí estoy cuando era amateur allá por los 70.

En el Augusta National en 1996, cuando gané el US Masters por tercera vez, la emoción duró hasta el último hoyo.

Golf medieval

En los tiempos medievales, había diversos juegos de pelota y bastón que se jugaban en el norte de Europa. Esta ilustración de un *Libro de las horas* flamenco (1530), muestra a unas personas jugando a un juego similar al golf moderno.

Reglas del golf

Duncan Forbes, el primer capitán del Gentleman Golfers de Leith, Escocia, fue uno de los primeros es establecer las reglas del golf en 1744, En 1897, el Royal and Ancient Golf Club de St. Andrews publicó el primer reglamento donde se unificaban las normas del juego.

La historia del golf

LOS ORÍGENES DEL GOLF no están muy claros. Quizá provenga del Paganica, un juego introducido en Britania por los romanos, o de un juego de bola y bastón conocido como kolf, que se jugaba en la Europa medieval. El juego, tal como lo conocemos en la actualidad, evolucionó en Escocia, donde su gran popularidad dio lugar a la creación de grupos de jugadores, o clubes, en el siglo XVIII. El primer gran torneo –el British Open– se disputó en 1860. Por aquel entonces, el golf ya se jugaba en otros muchos países, sobre todo en Estados Unidos.

Palos de los siglos XVIII y XIX

Los primeros equipos

Las primitivas bolas de golf eran objetos frágiles hechas de cuero y rellenas con plumas de ganso. Fueron reemplazadas por las más duras y baratas «gutties», bolas fabricadas con gutapercha, una substancia parecida al caucho que se obtiene de un árbol tropical. Hasta el siglo XIX, los palos se hacían de madera y tenían las cabezas más largas que los actuales.

Bola de pluma, 1840.

Guttie, 1890

Palo

Madera de calle

Cecil Leith fue una famosa jugadora británica entre los años 1914 y 1926.

Golf femenino

Los clubes de jugadoras de golf se formaron a finales del siglo XIX y el primer torneo amateur tuvo lugar en 1890. El golf femenino no se hizo profesional hasta 1949, con la fundación en Estados Unidos de la Ladies' Professional Golf Association.

Bobby Jones

Bobby Jones es el jugador amateur más importante de todos los tiempos. En 1930, conquistó el «Gran Slam» al ganar los Abiertos amateur y profesional de Gran Bretaña y Estados Unidos.

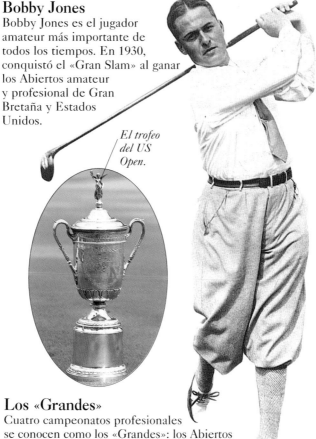

El trofeo del US Open.

Los «Grandes»

Cuatro campeonatos profesionales se conocen como los «Grandes»: los Abiertos de Gran Bretaña y EEUU, el Masters de EEUU y el de la PGA norteamericana.

Los tees

Los tees se fabricaban de madera. Ahora los tees también se fabrican de plástico de colores brillantes para que se puedan ver fácilmente en la hierba.

Jack Nicklaus

El norteamericano Jack Nicklaus es considerado como el mejor jugador de toda la historia del golf. Ha ganado 18 grandes: seis Masters, cuatro US Opens, cinco PGA Championships y tres British Opens.

Lo que necesitas

COMO PRINCIPIANTE, sólo necesitarás el equipo básico para comenzar: medio juego de palos, bolas y un calzado adecuado. Hasta que no tengas claro que el golf es lo tuyo, no hace falta gastar grandes sumas de dinero en un juego de palos completo y el último grito en equipo. Sin embargo, es importante que selecciones los palos que mejor se adapten a tu estatura y constitución física.

Equipo

Antes de comprar tu equipo, vale la pena que pidas consejo al profesional de tu club. Él te aconsejará sobre la clase de palos y pelotas más adecuadas a tu estatura, físico y experiencia. Un medio juego, que por lo general incluye seis o siete palos básicos, es suficiente para un principiante.

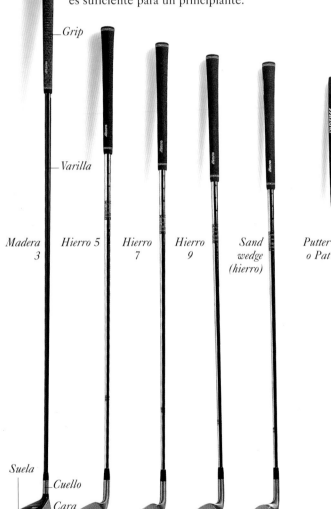

Grip

Varilla

Madera 3   *Hierro 5*   *Hierro 7*   *Hierro 9*   *Sand wedge (hierro)*   *Putter o Pat*

Suela

Cuello

Cara

Palos de golf

Las reglas del golf permiten el uso de hasta 14 palos. Un juego de palos consiste en tres «maderas» (en la actualidad, están hechas de metal), nueve hierros, un sand wedge, un pitching wedge y un pat. El número en la cabeza del palo indica el ángulo (o loft) de la cara. El ángulo determina la distancia y la altura del vuelo de la bola. Los palos que se muestran a la izquierda forman un medio juego.

Bolas de golf

La mayoría de las bolas de golf son blancas con una serie de depresiones (dimples) en la cubierta exterior. Estas depresiones ayudan a que las bolas vuelen con mayor rapidez. Hay diversos tipo de bolas, como son las de dos piezas muy resistentes a los cortes (ideales para los principiantes), las de tres piezas, la «wound» y la de balata.

Bola de práctica

Bola de golf

Tees

De madera o de plástico, se emplean como soporte de la bola en la salida de cada hoyo.

La madera 3 es el segundo palo más largo después del driver. Se utiliza para los golpes de distancia.

El hierro 5 es un palo que se utiliza para golpes desde la calle. El hierro 7 tiene más angulación para una mayor precisión y control del golpe, y el hierro 9 es muy angulado y se emplea para golpes cortos. El ángulo de la cara determina la altura de la trayectoria.

Los wedges están diseñados para los golpes cercanos al green. El sand wedge se emplea en los búnkers de arena.

Los putters o pats tiene formas y tamaños de todo tipo y se emplean para los golpes en el green.

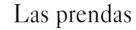

Un gorra te protege la cabeza del sol.

Las prendas

Viste prendas amplias y cómodas que no te molesten a la hora de hacer el swing. Los jerseys y las camisas deben ser holgados en las axilas y los brazos. Algunos clubes de golf esperan que los socios vistan con elegancia y no permiten que se usen pantalones vaqueros en el campo.

Protección contra el sol

Si juegas al golf en días calurosos, tienes que usar una visera o una gorra, para protegerte de los dañinos rayos ultravioleta. También tienes que usar una crema de protección solar en los brazos, el rostro y el cuello.

Los polos son elegantes y te permiten hacer bien el swing.

Notas

Como una ayuda para mejorar tu juego, lleva una libreta para anotar tus resultados cada vez que juegas.

Las prendas deben ser amplias pero elegantes.

Bolsa de golf

Una bolsa pequeña y liviana (preferiblemente con trípode) es ideal para transportar el medio juego del principiante. Los bolsillos permiten guardar la bola y otros artículos esenciales, como una toalla, los tees, el lápiz, un arregla piques y un impermeable. La bolsa que se muestra contiene un juego de palos para cadetes. Son palos más cortos y livianos que los palos normales, y son los mejores para los principiantes.

Anorak

Cuando hace frío, un anorak o cortavientos ligero es un complemento ideal en el equipo. No restringe los movimientos para hacer el swing y se puede llevar encima de un polo.

Guantes

La mayoría de los golfistas llevan un guante en la mano izquierda (o en la derecha si son zurdos) para sujetar mejor el palo.

Zapatos

Se camina mucho en un recorrido de golf, así que es importante llevar un calzado cómodo. Las suelas tienen clavos o tacos para afirmarse a la hierba cuando se hace el swing. No te olvides de limpiar los zapatos después de usarlos si había fango o llovía en el campo, y quítate los zapatos de clavos antes de entrar en la casa club.

Bienvenido al campo

E L GOLF SE JUEGA sobre una gran extensión de hierba denominada campo. Un campo completo tiene 18 hoyos, que plantean diferentes dificultades a los jugadores. Todos los hoyos tienen un tee de salida, una calle, un green y obstáculos, como son los búnkers o los lagos, para complicar todavía más el juego. El objetivo del juego es utilizar los palos para golpear la bola desde el tee de salida hasta el agujero en el green con el menor número posible de golpes. Por lo general, un partido de golf lo juegan grupos de dos a cuatro jugadores que cumplen con el recorrido y cada jugador golpea la bola por turno.

El link de Ballybunion en Irlanda.

Links, brezales y parques

Hay tres tipos de campos de golf: Los links, como el de St. Andrews en Escocia, son terrenos rescatados al mar. Tienen grandes dunas de arena entre las calles y están sometidos a las inclemencias de los elementos. Los brezales, como el Woodall Spa en el Reino Unido, son campos sembrados con brezos o tojo. Los que son tipo parque como el del Augusta National, cuentan con árboles y arbustos como parte del diseño del campo.

El campo

Cada hoyo de un campo de golf recibe una calificación de acuerdo con su longitud. Esta longitud se denomina «par» y es el número de golpes que un jugador excelente necesitaría para jugar el hoyo sin errores. La ilustración muestra un típico par 4 de 370 metros (420 yardas) con las características y los obstáculos. Indica el camino directo que seguiría un profesional de tee a green. También muestra el camino más probable que seguirían los principiantes. No es un camino directo, pero más segura porque evita los obstáculos.

Augusta National

El Augusta National está en Georgia, Estados Unidos, y es la sede del Masters. Es un soberbio campo tipo parque, famoso por las calles inmaculadas y el dificílisimo hoyo 13. Es en ese hoyo donde se han ganado o perdido numerosos torneos.

Tee de salida

Los jugadores realizan el primer golpe de cada hoyo desde el tee de salida. Unos marcadores clavados en la hierba señalan el lugar desde donde se debe jugar el golpe. Las damas tienen su propio tee de salida, que está por delante del tee de los hombres. También hay una salida especial para profesionales que se llama «medal».

St. Andrews

El golf se ha jugado en los viejos links de St. Andrews, Escocia, desde hace más de 400 años. Evitar los búnkers es la clave para sobrevivir al recorrido. Los hay por docenas y la mayoría están ocultos a la vista.

Zanjas

Cuando los arquitectos diseñan los campos de golf, hacen un uso imaginativo de los obstáculos para atrapar las bolas. Hay obstáculos de muchas clases: desde búnkers de arena, a zanjas y lagos, aparte de árboles.

El tee de salida es la zona llana donde se ejecuta el primer golpe.

La zanja llena de agua es un obstáculo difícil en este campo.

Búnkers

Los búnkers son huecos en el terreno con fondos de arena. Están distribuidos por las calles y lugares cercanos al green. La mayoría de los jugadores tienen miedo de que su bola vaya a parar a un búnker, pero hay algunos profesionales que controlan mejor el golpe desde el búnker que desde hierba alta.

Green

El objetivo es llegar al hoyo, que puede estar situado en cualquier lugar del green. El green puede variar de tamaño y nunca es plano. La hierba del green está segada muy corta para permitir que la bola ruede suave y rápidamente.

El antegreen es la zona que bordea el green.

BÚNKER

GREEN

Todas las bolas que caigan fuera de límites se castigan con un golpe de penalización.

La calle es la zona de hierba segada donde tendrías que jugar tu segundo y tercer golpe. Las bolas que caen en la hierba alta fuera de la calle están en el «rough».

BÚNKER

CALLE

Éste es el camino directo que probablemente jugaría un profesional.

El mejor camino para el principiante es un poco más largo pero más seguro.

Libro de distancias

Muchos campos de golf tienen sus propios libros de distancias. Son mapas detallados de cada hoyo del campo, que da a los jugadores toda la información necesaria para trazar un camino seguro de tee a green, evitando los obstáculos. Las distancias en metros (o yardas) se miden desde el tee de salida y desde el borde del green. Una vez que hayas practicados y sepas que distancia consigues con cada palo, las distancias marcadas en el libro te ayudarán a escoger el palo adecuado para cada golpe.

Calle

Toda la zona entre el tee y el green es lo que se conoce como calle. No contiene los obstáculos, pero incluye un espacio de hierba segada, rodeada por otra hierba más alta o «rough». La calle es donde tienes que jugar normalmente tu segundo y tercer golpe.

9

El juego

DESPUÉS DE HABER CONSEGUIDO un nivel de juego razonable en el campo de prácticas, estarás ansioso por probar tus adelantos en el campo. Sin embargo, primero es importante comprender las reglas y las normas de etiqueta del juego, y los diversos sistemas de puntuación.

Puntuación

Cada hoyo de un campo de 18 hoyos recibe una calificación de acuerdo con su longitud. Esta calificación se llama «par» y es el número de golpes que un jugador excelente necesitaría para jugar el hoyo sin cometer errores. Para los hombres, los hoyos más cortos, hasta 228 metros (250 yardas) son calificados como par 3; los hoyos de 229-434 metros (251-475 yardas) son par 4; los hoyos de más de 374 metros (409 yardas) pueden ser par 5. Las tarjetas presentan esta información en una tabla, con otras columnas para que el jugador anote el resultado de cada hoyo durante la vuelta.

Marca tus puntos aquí y los del otro jugador en la columna A.

El nombre del jugador y su handicap se anotan aquí.

Sistema Medal

El sistema Medal o Strokeplay es el más utilizado en el golf. En este formato se apunta el número total de golpes del jugador para cada hoyo. El jugador con menos golpes al final del recorrido gana el partido. Se cuenta el total de golpes y se resta el handicap para tener el resultado neto.

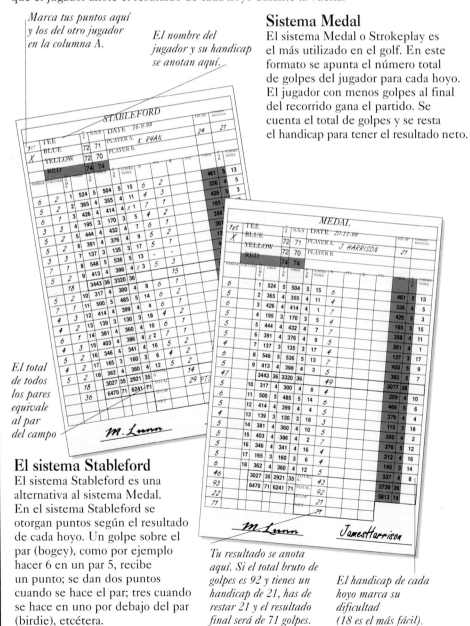

El total de todos los pares equivale al par del campo

El sistema Stableford

El sistema Stableford es una alternativa al sistema Medal. En el sistema Stableford se otorgan puntos según el resultado de cada hoyo. Un golpe sobre el par (bogey), como por ejemplo hacer 6 en un par 5, recibe un punto; se dan dos puntos cuando se hace el par; tres cuando se hace en uno por debajo del par (birdie), etcétera.

Tu resultado se anota aquí. Si el total bruto de golpes es 92 y tienes un handicap de 21, has de restar 21 y el resultado final será de 71 golpes.

El handicap de cada hoyo marca su dificultad (18 es el más fácil).

Las reglas del golf

Consigue un ejemplar de las reglas del golf, aprobado por el Royal and Ancient Golf Club de St. Andrews, Escocia, y de la US Golf Association, para conocer las reglas básicas que rigen el juego. Hay 34 reglas diferentes que incluyen información sobre lo que debes hacer cuando hay que jugar la bola que ha caído en un obstáculo, y te dan una guía clara para solucionar las discusiones normales que se pueden suscitar durante un partido.

El par de cada hoyo

HOMBRES
Longitud del hoyo:
Hasta 228 m (250 yd) = par-3
229-434 m (251-475 yd) = par-4
Más de 435 m (476 yd) = par-5

MUJERES
Longitud del hoyo:
Hasta 200 m (220 yd) = par-3
200-393 m (220-430 yd) = par-4
Más de 374 m (409 yd) = par-5

El sistema del handicap

El sistema de handicap permite a los jugadores de diferentes niveles jugar entre ellos. Tu handicap es el número de golpes que superan el par del campo, que se calcula por el resultado promedio de tres partidos, jugados en el mismo campo con un jugador que ya tiene handicap. El handicap máximo para los hombres es de 28 y de 36 para las mujeres. Hoy muchos clubes emplean ordenadores para entrar los resultados y tu handicap puede bajar y subir según juegues. Muchos clubes tienen un handicap especial para los infantiles que llega a 45.

Términos para los resultados

Hacer el par = par
Uno por debajo del par = birdie
Dos por debajo del par = eagle
Tres por debajo del par = albatros
Uno por encima del par = bogey
Dos por encima del par = doble bogey

Etiqueta

La etiqueta es una parte importante del juego; las normas de etiqueta aparecen en la sección 1 de las Reglas del Golf. Describe el comportamiento correcto a observar entre los jugadores y el cuidado del campo por parte de todos los golfistas, sobre todo los principiantes. No debes moverte ni hablar cuando los otros están jugando, o ponerte en un sitio donde puedas distraer la concentración del jugador. Por el bien del juego, debes procurar siempre jugar sin demora. Si un miembro de tu grupo pierde una bola y tarda en encontrarla, deja paso al grupo de jugadores que venga detrás.

Rastrilla cuidadosamente las pisadas que has dejado en el búnker.

Repara el green para dejar la superficie lisa.

Asegúrate de reparar las chuletas inmediatamente.

Rastrillar el búnker

Cada vez que visites un búnker, tienes que rastrillar la arena para borrar tus huellas y cualquier otra marca que hayas producido. Deja el búnker tal como lo encontraste.

Arreglar los piques

Todos los jugadores deben asumir la responsabilidad de cuidar el campo. La bola en los golpes de aproximación (approach) al green suelen dejar una marca (pique). Estas marcas se deben reparar con mucho cuidado con un arregla piques. Levanta la hierba con las puntas del arregla piques y después golpea suavemente la superficie del green con la base del pat.

Las chuletas

El trozo de hierba que levantas cuando das un golpe con un hierro se llama chuleta. Para mantener el campo en buen estado, coloca la chuleta en su sitio y písala bien fuerte con el pie.

Darse la mano

Al final de cada partido es costumbre darse la mano con tus compañeros de juego y darles las gracias. Ganes o pierdas no debe haber resentimientos cuando salgas del campo.

Permanece a un lado y en silencio mientras el jugador realiza su golpe.

Asegúrate de que no tienes a nadie al alcance del palo cuando golpeas.

Seguridad

La seguridad en el campo es responsabilidad de todos los golfistas. Antes de jugar el golpe o hacer el swing de práctica, el jugador debe asegurarse de que no haya nadie que pueda ser alcanzado por el palo o la bola. Si lanzas un bola que vuela en dirección a otros jugadores, debes advertirles del peligro gritando: «¡Bola!»

Preparación para el juego

Antes de jugar un partido de golf o ir al campo de prácticas, debes dedicar unos minutos a los ejercicios de calentamiento. Esto ayuda a prevenir las lesiones y te da la oportunidad de estirar los músculos del cuerpo que necesitas para hacer un buen swing.

Estiramiento de piernas

Este ejercicio te ayudará a estirar y a fortalecer los músculos de las pantorrillas y los muslos. Desde la posición de parado, da un gran paso hacia delante, doblando la rodilla de la pierna adelantada. Apoya las manos en la rodilla y mantén la posición mientras cuentas hasta tres.

Mantén la espalda recta y la cabeza erguida.

El pie retrasado se mantiene equilibrado sobre la punta del pie.

Mantén el pie adelantado bien apoyado en el suelo.

Siente la sensación de estiramiento en las dos piernas mientras permaneces quieto.

La rodilla retrasada no debe tocar el suelo.

Estiramiento de brazos

Para prepararte para hacer un giro completo de los hombros cuando haces el swing, primero debes estirar los músculos de los brazos y los hombros.

Estira el brazo izquierdo sobre el pecho.

Gira el cuerpo en el mismo sentido que el brazo estirado.

1 Para empezar, engancha con el brazo izquierdo con el derecho, y después tira hasta que el brazo izquierdo quede apretado contra el pecho. Esto te prepara para girar los hombros hacia la derecha.

Flexiona las rodillas para mantener el equilibrio.

El ejercicio del pivote

Uno de los ejercicios de calentamiento y flexibilidad más eficaces para el swing es el ejercicio del pivote, que te ayuda a un giro completo de los hombros en los dos sentidos.

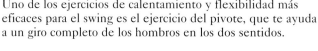

Mantén el palo horizontal a través de los hombros.

Sujeta con las manos cada extremo del palo.

Deja que la cabeza gire hacia la derecha para ayudar al giro de los hombros.

Deja que la cabeza gire con los hombros.

2 Estira el brazo y el hombro izquierdo hacia la derecha para estirar los músculos del tronco. Mantén la posición hasta contar tres y después repite el estiramiento hacia el otro lado.

Nota el estiramiento de los músculos del torso.

La rodilla derecha debe permanecer flexionada.

1 Ponte con los pies separados la distancia del ancho de los hombros e inclínate ligeramente hacia delante desde las caderas para adoptar una buena postura. Luego engancha el palo a través de los hombros y prepárate para girar.

Flexiona las rodillas para aguantar el movimiento de giro.

2 Gira los hombros noventa grados a la derecha. Mientras lo haces, debes notar como tu peso pasa al lado derecho.

Tu rodilla izquierda se mueve suavemente hacia la derecha.

Mantén los talones bien apoyados en el suelo.

Refuerza la acción del cuerpo

El movimiento de rotación del tronco es el motor que mueve tu swing. Para fortalecer esta acción, sujeta la varilla del palo, colocando las manos con una separación igual al ancho de los hombros y muévelo adelante y atrás.

Deja que la cabeza se mueva a la derecha para facilitar el giro.

Mantén los brazos estirados.

Tu brazo izquierdo cruza tu pecho.

Los brazos hacen el swing mientras realizas el movimiento de giro.

2 Cambio el peso al lado izquierdo mientras giras.

1 Nota el cambio del peso al lado derecho cuando giras a la derecha.

Mantén la cabeza del palo a varios centímetros por encima del suelo.

Ejercicio de muñecas

Un buen movimiento de muñecas es esencial para hacer un buen swing. Trabaja para mejorar la flexibilidad y la movilidad de las muñecas con este simple ejercicio.

2 Mueve las muñecas para subir y bajar el palo. Nota el control en las palmas y los dedos.

Mantén la espalda recta.

1 Sujeta el palo y manténlo delante del cuerpo. No fuerces el grip para que los músculos de las manos y los brazos permanezcan relajados.

Mantén los codos cerca del cuerpo.

Tu cabeza gira naturalmente con los hombros.

3 Gira todo el torso hacia la izquierda. Termina con el cuerpo erguido y todo el peso apoyado en el lado izquierda, perfectamente equilibrado.

Deja que el talón se despegue del suelo.

Tus rodillas están juntas al acabar.

Haz el swing con dos palos

Balancear dos palos juntos en un movimiento lento es otro buen ejercicio de calentamiento. El peso añadido te ayudará a realizar un swing suave y a fortalecer los músculos.

1 Comienza con los pies separados el ancho de los hombros. Sujeta dos palos juntos y hazlo balancear hasta tocar cada hombro respectivamente.

Dobla la rodilla un poco mientras giras el tronco.

Los dos palos acaban juntos cruzados por detrás de tu hombro.

2 Deja que la inercia de los dos palos te arrastre hacia atrás hasta un giro completo y equilibrado. Mantén esta posición hasta contar tres.

El talón se puede despegar del suelo.

🏌 **Programa de ejercicios**
Un programa de ejercicios sencillos, de unos diez minutos, te ayudará en tu juego.

El peso de los dos palos te estirará completamente los músculos del tronco.

Une las rodillas cuando acabes el giro.

Jack Nicklaus
Un buen grip te permitirá transferir adecuadamente la fuerza de tu swing a la bola en el impacto, una habilidad demostrada sin el menor esfuerzo por Jack Nicklaus que emplea el grip entrelazado.

La fuerza del grip
No aprietes el palo demasiado fuerte o tensarás demasiado los músculos de las manos y los brazos.

Crear la bisagra
La prueba de un buen grip es que permita que las dos manos trabajen como una unidad y también que permita a las muñecas actuar correctamente como una bisagra cuando haces el swing. Notarás elásticos los músculos de las manos y los brazos, y podrás menear la cabeza del palo libremente. Comprueba siempre que haces el grip correcto.

Los últimos tres dedos de la mano izquierda y los dos dedos centrales de la mano derecha son tus puntos de presión claves.

El grip de golf

COMO ES TU ÚNICO PUNTO de contacto físico con el palo, un buen grip es vital para jugar al golf. La manera de colocar las manos juntas en el palo determina lo bien que podrás mover las muñecas para conseguir un buen swing y hacer que la cara del palo llegue cuadrada (perpendicular) a la bola en el impacto. Emplea esta guía que te permitirá controlar paso a paso si tus manos están en la posición correcta.

Los elementos del grip

Hay varias maneras para unir las manos en el palo para hacer un buen grip. La mayoría de los profesionales emplean lo que se conoce como el grip Vardon, en el que el dedo meñique de la mano derecha se superpone al dedo índice de la izquierda. Los demás, y sobre todo los jugadores con manos pequeñas, prefieren entrelazar los dedos. Es una cuestión de averiguar cuál te va mejor. Sólo recuerda que siempre debes sujetar el palo con suavidad para que las manos y los brazos estén relajados.

Posición inicial
Desde esta posición, si apoyas el palo en diagonal sobre los dedos de la mano izquierda, conseguirás un buen grip.

Relaja tus hombros.

Deja colocado el brazo izquierdo con naturalidad.

1 Comienza con la mano izquierda. El grip del palo debe apoyarse en la base de los dedos de la mano izquierda, como si estuvieras cogiendo un martillo.

2 Cuando mires tu mano izquierda, por lo menos tendrás que ver dos nudillos y medio y el pulgar izquierdo encima de la varilla.

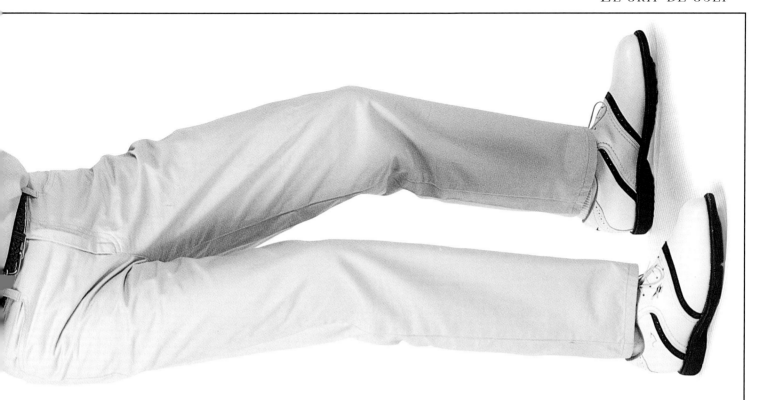

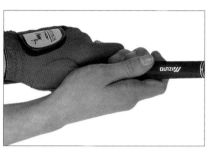

5 Ahora las dos manos están cómodamente unidas sin que ninguna domine a la otra. Es mejor no apretar mucho para conseguir una buena flexibilidad.

4 La base carnosa del pulgar derecho debe cubrir el pulgar izquierdo cuando se unen las manos.

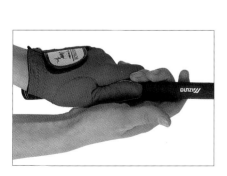

3 Acerca la mano derecha de manera que encaje cómodamente contra la izquierda, con el palo descansando en el canal formado cuando doblas los dos dedos del medio.

El grip de béisbol
Este grip en que las manos sujetan el palo una detrás de la otra es un buen «grip de principiantes» para los más jóvenes. A medida que crezcas, podrás utilizar el grip Vardon o el entrelazado.

Grip entrelazado
Cruzar el dedo meñique de la mano derecha con el índice de la izquierda crea un grip entrelazado, favorito de los jugadores con las manos pequeñas.

El grip Vardon
Harry Vardon, el gran jugador británico, popularizó el grip que lleva su nombre. En este grip el dedo meñique de la mano derecha se apoya en el surco entre el índice y el corazón de la mano izquierda.

15

La posición inicial

LA POSICIÓN INICIAL desde la que harás el swing se llama «stance». En el stance, necesitas asegurarte de que tu cuerpo, la cara del palo y la bola están alineados. Esto es importante por tres razones: la alineación de tu cuerpo determina la dirección del swing; la postura fija cómo será el swing y la bola siempre saldrá en una línea en ángulo recto con la cara del palo.

Posición de la bola y de los pies

De acuerdo con el palo que utilices para efectuar el golpe, la posición del pie y de la bola cambiarán ligeramente. Para los palos largos (maderas y hierros largos), coloca la bola en línea con la parte interior del talón izquierdo, con los pies separados el mismo ancho que tus hombros. Mueve la bola un poco más hacia el pie derecho para los hierros medios (5, 6 y 7), y hacia el medio del stance para los palos más cortos y con más ángulo (8, 9 y pitching wedge).

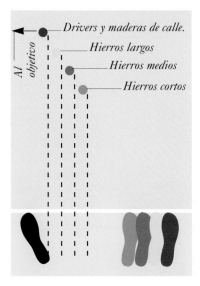

Al objetivo

Drivers y maderas de calle.
Hierros largos
Hierros medios
Hierros cortos

La posición inicial

La posición inicial debe situar tu cuerpo en un stance que te permita hacer un giro completo, mientras que los brazos están libres para balancear la cabeza del palo. En esta ilustración se utiliza un hierro 5 para mostrar el stance correcto.

Comprueba que el brazo izquierdo y la varilla del palo están en línea el uno con el otro.

Apoya los brazos suavemente sobre el pecho.

Relaja las manos y los brazos.

Mueve un poco las puntas de los pies hacia fuera para mejorar el equilibrio.

1 Ponte con los pies separados el ancho de los hombros y (para un hierro 5) coloca la bola un poco a la izquierda del centro del stance. La cara del palo debe estar cuadrada (en ángulo recto) con el objetivo.

La cabeza del palo está cuadrada detrás de la bola.

Baja la cabeza, pero no toques el pecho con la barbilla.

♟ Líneas paralelas

Asegúrate de que tu cuerpo esté cuadrado con la línea de tiro. En otras palabras, los pies, las rodillas, las caderas y los hombros deben estar paralelos a la línea bola-objetivo.

El objetivo está en línea con la bola.

2 Para asegurarte de que estás bien alineado, imagina una vía de ferrocarril que va hacia el objetivo. La bola está en el carril exterior, mientras tu cuerpo está paralelo en el carril interior.

En el stance, la base de la cabeza del palo debe estar apoyada plana en el suelo. Esto se conoce como el «lie» del palo.

La postura perfecta

Una buena postura inicial te ayudará a hacer un buen giro, el movimiento de pivote en el swing. Si te esfuerzas, conseguirás una buena postura y un swing más regular. Este ejercicio te ayudará a conseguir la postura perfecta con independencia del palo que utilices.

Un consejo
Los buenos golfistas se inclinan desde las caderas, nunca desde la cintura. Esto permite que la columna vertebral permanezca recta y pueda girar con facilidad.

Mantén los brazos estirados.

Mantén el peso equilibrado en las dos piernas.

Mantén la espalda recta cuando flexiones las rodillas.

La cabeza debe permanecer quieta.

1 Para empezar, ponte erguido con los pies separados el ancho de los hombros y sostén el palo cómodamente apenas un poco por encima de la cintura.

Mantén los pies bien apoyados en el suelo.

2 Inclínate suavemente hacia delante desde las caderas y baja los brazos hasta que la cabeza del palo se apoye en el suelo. No alteres la relación entre los brazos y el cuerpo.

Inclínate suavemente hacia delante desde las caderas.

3 Flexiona las rodillas y siente como el peso se centra entre las plantas de tus pies. Dedica unos segundos a poner bien los pies. La postura correcta crea una sensación de elasticidad.

Los pies, las rodillas, las caderas y los hombros están paralelos a la línea de tiro.

La rutina previa

La rutina previa te ayudará a prepararte mentalmente para el golpe. Piensa en apuntar correctamente la cara del palo hacia el objetivo y coloca el cuerpo en la posición correcta ante la bola.

Comienza con la rutina de la posición perfecta.

El «meneo»
Para mantener los brazos y las manos relajados, mueve el palo atrás y adelante unas cuantas veces antes de hacer el swing. Esto se llama el «meneo».

Mantén enfocado en el objetivo mientras haces el meneo.

Mantén los hombros relajados.

Mantente concentrada en el objetivo.

1 Colócate siempre detrás de la bola para echar una buena ojeada al objetivo. Concéntrate en la clase de golpe que vas a jugar y visualiza mentalmente el vuelo de la bola.

2 Apoya el palo en el suelo y apunta la cara con mucho cuidado. Comprueba que la base esté cuadrada con el objetivo (perpendicular a la línea).

Adelanta el pie para colocar el palo.

3 Después de apuntar, coloca el cuerpo en posición. Asegúrate de que la parte inferior de tu cuerpo está paralelo con la línea de tiro.

La cara del palo apunta al objetivo.

El swing

PARA TENER UN SWING fluido, debes aprender a combinar el movimiento de giro de tu cuerpo con el movimiento de los brazos y las manos. Observa la secuencia, y verás como el swing es una reacción en cadena: desde la posición inicial, un movimiento correcto lleva al siguiente.

Los elementos del swing

Las fotos que ves aquí te ayudarán a comprender las diversas posiciones claves de un buen swing. Sin embargo, es importante que te concentres en mover el palo por estas posiciones con un único movimiento suave. Un buen ritmo es el secreto para darle bien a la bola. Recuerda no apretar demasiado el grip, lo que te permitirá quebrar las muñecas con naturalidad mientras mueves la cabeza del palo en un amplio movimiento circular.

El palo debe estar paralelo a la línea del objetivo.

1 Inclinarse desde la caderas y flexionar las rodillas suavemente crea una buena postura atlética en el stance. Los brazos cuelgan libres y los hombros están relajados.

Las manos y los brazos están relajados.

Mantén la mirada puesta en la bola.

La rodilla izquierda está flexionada para aguantar el backswing.

2 Para hacer el *backswing*, el tronco se aparta del objetivo, mientras la parte inferior del cuerpo da una base sólida. Para un swing completo, los hombros deben girar 90 grados.

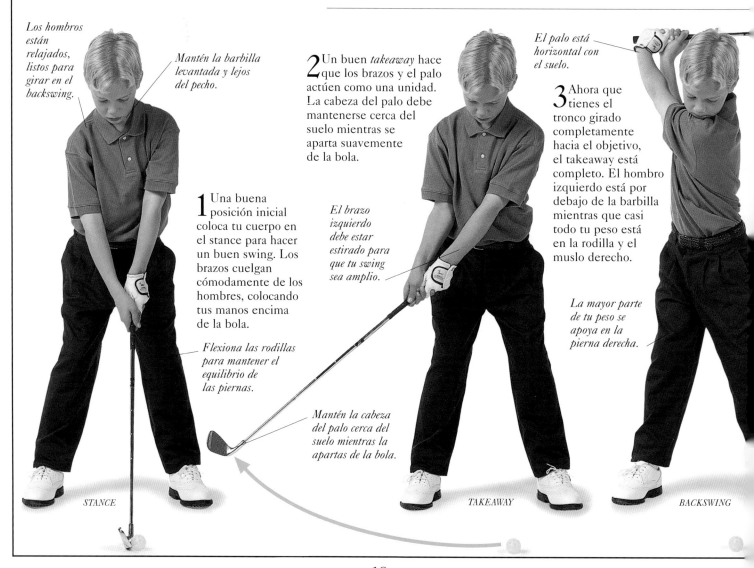

Los hombros están relajados, listos para girar en el backswing.

Mantén la barbilla levantada y lejos del pecho.

1 Una buena posición inicial coloca tu cuerpo en el stance para hacer un buen swing. Los brazos cuelgan cómodamente de los hombros, colocando tus manos encima de la bola.

Flexiona las rodillas para mantener el equilibrio de las piernas.

2 Un buen *takeaway* hace que los brazos y el palo actúen como una unidad. La cabeza del palo debe mantenerse cerca del suelo mientras se aparta suavemente de la bola.

El brazo izquierdo debe estar estirado para que tu swing sea amplio.

Mantén la cabeza del palo cerca del suelo mientras la apartas de la bola.

El palo está horizontal con el suelo.

3 Ahora que tienes el tronco girado completamente hacia el objetivo, el takeaway está completo. El hombro izquierdo está por debajo de la barbilla mientras que casi todo tu peso está en la rodilla y el muslo derecho.

La mayor parte de tu peso se apoya en la pierna derecha.

STANCE

TAKEAWAY

BACKSWING

3 Mientras el cuerpo se desenrosca hacia el objetivo, los brazos y las manos aceleran la cabeza del palo hacia la bola.

Tu peso pasa al lado izquierdo mientras giras el cuerpo.

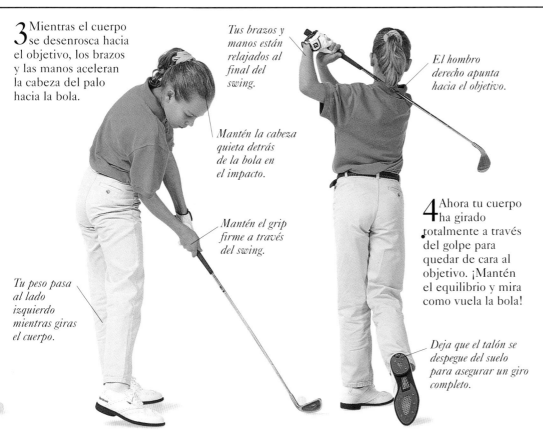

Mantén la cabeza quieta detrás de la bola en el impacto.

Mantén el grip firme a través del swing.

Tus brazos y manos están relajados al final del swing.

El hombro derecho apunta hacia el objetivo.

4 Ahora tu cuerpo ha girado totalmente a través del golpe para quedar de cara al objetivo. ¡Mantén el equilibrio y mira como vuela la bola!

Deja que el talón se despegue del suelo para asegurar un giro completo.

Un swing perfecto
El sudafricano Ernie Els tiene uno de los swings más suaves del golf profesional. Su equilibrio y su postura son una lección para todos los golfistas. ¡Nunca intentes pegarle demasiado fuerte a la bola!

4 La energía creada en el backswing se libera mientras desenroscas el cuerpo hacia el objetivo. Los brazos y las muñecas lanzan el palo suavemente hacia la bola.

Las muñecas están quebradas, listas para golpear la bola.

La parte inferior del cuerpo te da el equilibrio mientras te aproximas al impacto.

Los hombros giran hacia el objetivo.

5 La importancia de una buena posición inicial se refleja claramente en el impacto, cuando toda la fuerza del swing se descarga contra la bola.

La rodilla derecha se debe doblar en dirección a la bola.

Mantén la cabeza quieta mientras le pegas a la bola.

Se ha completado el swing con un equilibrio perfecto.

6 Mientras giras, el impulso de la cabeza del palo te arrastra todo el camino hasta una terminación completa y equilibrada. Tu peso se apoya ahora en el lado izquierdo y tus rodillas están juntas.

DOWNSWING

IMPACTO

FOLLOW-THROUGH

La práctica del swing

AMEDIDA QUE TE HACES más alto y más fuerte cambiará tu swing. Sin embargo, si controlas algunos puntos y con cierta práctica, es posible vigilar las posiciones claves de tu swing, los pasos para un método seguro que te servirá para toda la vida.

2 Nota la conexión entre el palo y tu estómago y brazos mientras giras suavemente hacia la derecha para ensayar el movimiento de takeaway.

El palo debe permanecer en contacto con el ombligo.

Siente como tu cuerpo y el palo trabajan como una unidad.

El takeaway

Para un swing regular es vital que el primer movimiento que te aparta de la bola haga que las manos, los brazos y el cuerpo trabajen juntos. Este ejercicio te ayudará a experimentar la sensación de un buen takeaway, haciendo que gires los brazos, el estómago y los hombros en movimiento coordinado.

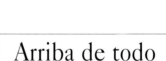

Utiliza un hierro medio para este ejercicio.

Una buena posición inicial.

1 Adopta la postura normal, pero apoya el extremo del grip en el ombligo y con las manos en la varilla del palo.

El medio backswing

Después de apartar la cabeza del palo suavemente es el quiebro de las muñecas lo que dará forma a tu swing mientras giras hacia atrás. La posición intermedia es un punto de control: en el momento que las manos pasan la cadera derecha, las muñecas deben estar quebradas y la varilla del palo tiene que apuntar al cielo.

Comprueba que tus muñecas están quebradas en el medio backswing.

Utiliza un espejo de cuerpo entero para comprobar el desarrollo del swing.

Arriba de todo

Desde la etapa intermedia, girar los hombres hasta los 90 grados te recompensará con un backswing correcto. Notarás el estiramiento de los músculos del tronco cuando llegas a la parte más alta del swing y estás listo para desenroscarte en el downswing.

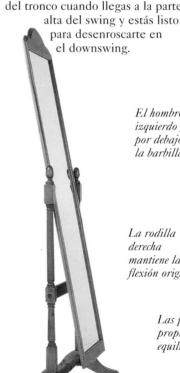

El hombro izquierdo gira por debajo de la barbilla.

La rodilla derecha mantiene la flexión original.

Las piernas proporcionan equilibrio.

3 Después de practicar este ejercicio varias veces, sujeta el palo de la manera normal e intenta repetir la misma sensación mientras haces el takeaway. La cabeza del palo se mantendrá cerca del suelo mientras se aparta de la bola.

La cabeza del palo traza un arco muy amplio mientras comienza el swing.

Un consejo
Coloca una funda a unos 30 centímetros detrás de la bola y, cuando inicies el takeaway intenta pasar la cabeza del palo lo más cerca de la funda sin tocarla.

Golpear contra un neumático

Puede experimentar la sensación de un buen impacto haciendo el stance ante algún objeto firma –como un neumático– y presionando la cabeza del palo con firmeza contra el objeto. La clave de este ejercicio es que utilizarás todo el cuerpo para ejercer fuerza contra el neumático, no sólo en las manos.

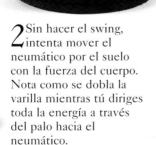

Mantén la cabeza quieta.

1 Adopta el stance delante del neumático como si fuese una bola. Utiliza un hierro medio y haz el grip de costumbre.

Las muñecas están firmes y controlan el palo.

2 Sin hacer el swing, intenta mover el neumático por el suelo con la fuerza del cuerpo. Nota como se dobla la varilla mientras tú diriges toda la energía a través del palo hacia el neumático.

El follow-through

Cuando descargas el golpe, el impulso de la cabeza del palo tirará de tus brazos y el cuerpo hasta una terminación completa, con el pecho apuntado hacia el objetivo y el peso apoyado en el lado izquierdo. Es importante que termines el swing con estilo, así que controla estos detalles ante un espejo.

La cabeza gira para seguir el vuelo de la bola.

La varilla se apoya en el cuello del polo.

Las manos y los brazos relajados en el final.

El brazo derecho señala hacia el objetivo.

¡Mantén la postura!
Para mejorar el ritmo y el equilibro de tu swing, siempre has de procurar aguantar la posición de follow-through durante unos segundos mientras miras como la bola vuela hacia el objetivo.

La rodilla derecha se mueve hacia la izquierda.

El pie derecho se apoya en la punta, dejando a la vista los tacos de la suela.

En el tee

TU PRIMER GOLPE de cada hoyo lo harás desde el tee de salida. Los hoyos más largos, como los pares 4 y 5, requieren que mandes la bola muy lejos del tee de salida. Para estos golpes utiliza el driver (el palo más largo de la bolsa) o, si eres un principiante, quizá te resulte más fácil usar una madera 3, 4 o 5. Por los hoyos más cortos, donde la precisión es más importante que la distancia, piensa en emplear un hierro 3 o 4.

Tee de salida.

Las marcas en el tee de salida te indicarán el lugar desde donde efectuarás la salida.

Mira la bola, pero mantén la barbilla apartada del pecho.

Para conseguir el máximo de ancho, pasa el brazo izquierdo por encima del pecho.

Altura de la bola
Gracias a colocar la bola en un tee de madera o plástico, conseguirás mayor distancia y precisión. Asegúrate de que el tee esté colocado a la altura correcta. Como regla general, pon el tee a una altura que haga sobresalir la mitad de la bola por encima de la parte superior de la cara del palo, con independencia del palo que utilices.

2 Mantén la cabeza del palo cerca del suelo, mientras te apartas suavemente de la bola. Hazlo despacio para dar tiempo al cuerpo de que haga un backswing completo. Deja que los brazos se crucen sobre tu pecho para crear el máximo de ancho en tu swing.

Trucos con el driver

El swing con el driver se diferencia de los otros swings, en que barres la bola del tee cuando la cabeza del palo comienza a subir. Esto aumenta la distancia del golpe. Para conseguir un buen swing con el driver, primero adopta el stance correcto, y luego practica para ampliar al máximo el ancho y la extensión del swing necesarios para generar velocidad y fuera.

Driver　　*Madera 3*

Palos
Las maderas como el driver y la 3, mandan la bola más lejos que los hierros. Esto se debe a que la masa de la cabeza de las maderas es mayor y a que también son más largas las varillas.

1 Cuando uses el driver, mantente erguido, con los pies separados un poco más del ancho de los hombros. La bola la tendrás que jugarla adelantada en el stance, en línea con el interior del talón izquierdo, de forma tal que el palo la golpee cuando comienza a subir.

Tu cuerpo y la cara del palo han de estar cuadrados con el objetivo y debes mantener las rodillas flexionadas. Dobla el cuerpo desde las caderas y mantén la espalda recta.

Descarga la mayor parte de tu peso en el lado derecho.

Posición en el tee
Antes de colocar la bola en el tee, piensa en dónde quieres que aterrice la bola. Si hay un obstáculo (hazard) a un lado de la calle, juega del mismo lado en el tee y apunta lejos del problema.

Tus manos deben acabar detrás de la nuca.

Con un buen equilibrio, tendrías que aguantar el final durante unos segundos.

Haz un giro completo de hombros hacia la derecha.

3 Completa el backswing girando el tronco hasta que quede detrás de la bola. Mantén la rodilla derecha un tanto flexionada y deja que la parte inferior del cuerpo se resista al giro del tronco. Esto crea un poderoso efecto de resorte. Tu cuerpo se enrosca como un resorte.

Siente como se estiran los músculos del torso mientras llegas a lo más alto.

4 Cuando desenroscas el swing, piensa en «perseguir» la bola con tu lado derecho. Deja que te lleve el impulso del swing hasta que llegues a la posición final, de manera que el hombro derecho acabe apuntando hacia el objetivo.

En el final, tu peso tendría que estar en el lado izquierdo.

Mantén la rodilla derecha flexionada mientras pasas el peso al lado derecho.

Tiger Woods
El joven jugador norteamericano Tiger Woods es extraordinario con el driver. Tiene la elasticidad, la velocidad y la técnica para enviar a la bola a unas distancias enormes.

El juego largo

UNA VEZ QUE LE HAS PEGADO a la bola en el tee, tendrás que valorar la posición (*lie*) de la bola, en la calle o el rough. Si la bola descansa en hierba corta, juega el segundo golpe con un hierro largo o una madera de calle para ganar distancia. Pero si la bola está en una mala posición, por ejemplo hundida en la hierba alta, concéntrate en mandar a la bola a un lugar donde puedas jugar el siguiente golpe sin problemas. El secreto para hacer pocos golpes es no correr riesgos innecesarios, sino dejar que la posición de la bola dicte tu estrategia en el campo.

José María Olazábal

En roughs muy altos, buscar distancia no vale la pena, ni siquiera para un gran profesional. Aquí, José María Olazábal, ganador del US Masters, opta por el camino más corto de regreso a la calle.

En esta parte de la calle, la estrategia es una parte importante del juego.

Posiciones buenas y malas

Los dos jugadores que aparecen en la foto se enfrentan a dos golpes muy diferentes. El jugador de la izquierda tiene la bola hundida en el rough, mientras que la bola del jugador de la derecha está bien colocada en la hierba. En el rough espeso, lo mejor es utilizar un palo con mucho ángulo, buscar el objetivo adecuado para el siguiente golpe y mandar la bola de vuelta a la calle. Una buena posición, como es la de la bola sobre la hierba, te dará la oportunidad de ser más agresivo con un hierro largo o una madera de calle e intentar mandar la bola a una gran distancia en dirección al green.

Hierros con mucho ángulo (7, 8 y 9).

Madera cinco.

Palos

Cuanto peor sea el lie, más ángulo deberá tener el palo que uses. Una buena posición te permitirá usar un hierro largo o una madera de calle y ser más agresivo.

El jugador de la derecha tiene la bola bien colocada y utiliza el libro de distancias para saber cuánto le falta para alcanzar el green.

El jugador de la izquierda tiene la bola hundida y comprueba el libro de distancias para buscar el mejor camino de regreso a la calle.

Un hierro con mucho ángulo para jugar seguro

Una vez tomada la decisión de jugar un hierro muy angulado, tendrás que fijar el objetivo y concentrarte en un buen swing. La hierba alta tiende a frenar el palo en el impacto, lo que hace que la bola se desvíe de la trayectoria y vuele hacia la derecha. Para evitarlo, tendrás que sujetar el grip con más fuerza de la mano izquierda.

1 Mantén pasiva la parte inferior del cuerpo mientras controlas el swing con el giro de hombros. Las muñecas deben estar completamente quebradas en lo más alto del swing, listas para añadir un poco más de fuerza cuando golpees la bola.

2 Para conseguir un buen impacto tendrás que golpear hacia abajo y a través de la bola y la hierba alta. El grip de la mano izquierda tendrá que ser firme para controlar el palo a través del impacto.

Lo más importante es poner la bola otra vez en juego.

3 Si bien necesitas ser bastante agresivo para escapar de la hierba alta, también debes procurar mantener controlado el swing. Un buen final es la prueba de que has hecho el swing con el equilibrio necesario para conseguir un buen impacto.

Madera 5 para ganar distancia

Si tienes la bola bien colocada, utiliza una madera de calle (3, 5 y 7) y busca ganar distancia. Es mucho más fácil pegar con estas maderas que con los hierros largos, y son muy útiles en los pares 4 y 5.

1 Para dar un buen golpe con una madera de calle, necesitas proporcionar amplitud a tu swing. Para conseguirlo, mantén el brazo izquierdo extendido mientras haces el giro de hombros completo.

2 Mientras aceleras suavemente a través del impacto, la bola se despega de la hierba. Mantén el brazo derecha extendido a medida que llevas la cabeza del palo hacia el objetivo.

La bola debe volar bien lejos hacia el green.

3 El impulso del swing te ayudará a girar del todo hasta el final. El palo quedará cruzado detrás la espalda, con los ojos hacia delante y tu cuerpo en un equilibrio perfecto.

Acercándonos al green

A MEDIDA QUE TE ACERCAS AL GREEN desde una distancia de 45 a 137 metros en la calle, necesitarás tener una estrategia bien pensada. Aquí la concentración es importante, ya que pretendes dejar la bola lo más cerca posible del hoyo, pero al mismo tiempo siempre has de tener presente los peligros que acechan alrededor del green esperando capturar un mal golpe.

Los golpes de aproximación al green se juegan desde esta zona de la calle.

La estrategia mental

Utiliza el libro de distancias para calcular los metros hasta el green y enterarte de los obstáculos. La información de los metros te ayudar a elegir el palo correcto y a visualizar el golpe perfecto.

1 Busca en el libro las distancias y los obstáculos. Escoge jugar en el lado seguro del green, lejos de los obstáculos.

Apunta la cara del palo hacia el objetivo.

2 Una vez visualizado el lugar al que quieres enviar la bola, acércate a la bola y coloca el borde inferior del palo cuadrado con la línea al objetivo.

Gira la cabeza para comprobar el objetivo.

3 Ponte en posición ante la bola y vuelve a mirar el objetivo hasta asegurarte de la alineación.

El juego con los hierros

Elige un hierro medio o corto para estos golpes de precisión. Recuerda que con los hierros lo importante es la precisión del golpe y no la distancia que vuele la bola. Cuanto más relajado estés cuando hagas el swing, mejor golpearás la bola. Esta secuencia con un hierro 9 ilustra el ritmo y el control que debes intentar conseguir.

Hiero 7   *Hierro 9*

Palos

Los hierros medios y cortos son el 6, 7, 8 y 9. Tienes que retrasar la bola en el stance. Usa el grip normal, pero sujeta el palo unos cuatro centímetros más abajo para tener mayor control.

1 Cuando uses un hierro corto, asegúrate de que el swing sea compacto. El palo no debe ir más allá de la horizontal en lo más alto del swing.

Tu brazo izquierdo traza el radio de tu swing.

Mantén pasiva la parte inferior del cuerpo mientras haces el giro.

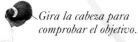

Practica las distancias

Para sacar provecho del libro de distancias, necesitas saber la distancia que haces con cada palo. Cuando practiques, haz como los profesionales y usa los indicadores de distancia del campo de prácticas para calcular cuánto vuela la bola con cada hierro.

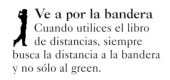

Ve a por la bandera
Cuando utilices el libro de distancias, siempre busca la distancia a la bandera y no sólo al green.

Apunta tus golpes a los indicadores de distancia para saber cuál es la distancia que vuela la bola con los diferentes palos.

Deja que la cabeza gire con naturalidad.

Mantén la cabeza detrás de la bola en el impacto.

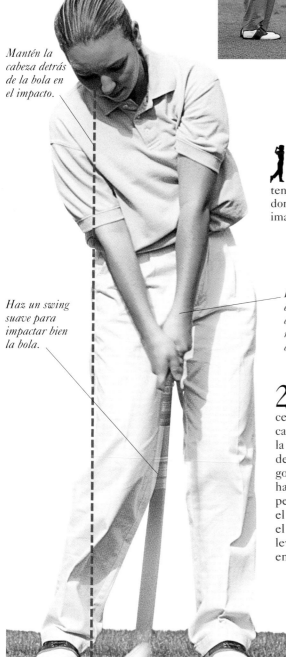

Visualiza el golpe
Jack Nicklaus dijo una vez que él nunca ejecutaba un golpe hasta tener una imagen exacta del lugar donde pretendía mandar la bola. Se imaginaba «la película» del golpe.

Mantén la espalda recta para evitar lesiones.

Haz un swing suave para impactar bien la bola.

Las muñecas están firmes y controlan el palo mientras se acerca a la bola.

2 Como la bola está retrasada hacia el centro del stance, la cara del palo golpea la bola cuando desciende. Después golpea el suelo y hace una chuleta pequeña. No fuerces el golpe. Deja que el ángulo del palo levante la bola en el aire.

3 La gracia del follow-through reflejará el control y el equilibrio de tu swing. Deja que la cabeza gire con naturalidad mientras te vuelves para mirar cómo la bola vuela hacia el objetivo.

Los rodillas se juntan en el final.

El pitch

EL PITCH es un tiro elevado que se juega con un palo muy angulado, como el pitching wedge o el sand, desde una distancia de 55 a 65 metros hasta el green. El objetivo de este golpe es llevar la bola por encima del rough y los obstáculos, para que aterrice suavemente junto a la bandera, sin que corra demasiado. Vale la pena practicar estos golpes a conciencia, porque son los que de verdad te permitirán reducir el resultado final.

Palos

Puedes usar el pitching wedge o el sand para hacer el pitch. Prueba con estos palos para saber la distancia que logras con cada uno.

Pitching wedge   *Sand*

Juega un pitch desde una distancia de 55 a 65 metros del green.

El golpe con el pitch

Los golpes con el pitch se juegan con un swing corto y compacto, Procura quebrar las muñecas al principio del swing, para que el palo suba muy empinado. Esto servirá para darle backspin (efecto de corte) a la bola, que hace que la bola se detenga rápidamente cuando toca el suelo. Un buen golpe con el pitch dejará la bola lo bastante cerca del hoyo como para que sólo tengas que patear una vez para meterla.

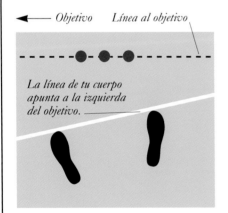

← *Objetivo*   *Línea al objetivo*

La línea de tu cuerpo apunta a la izquierda del objetivo.

El stance abierto

Necesitarás abrir un poco el stance para dar el golpe con el pitch. Retrasa un poco el pie izquierdo en relación con el derecho, para que la posición se abra hacia el objetivo. El diagrama muestra diversas posiciones de la bola: cuanto más alto quieres que vuele, más tendrás que adelantar la bola.

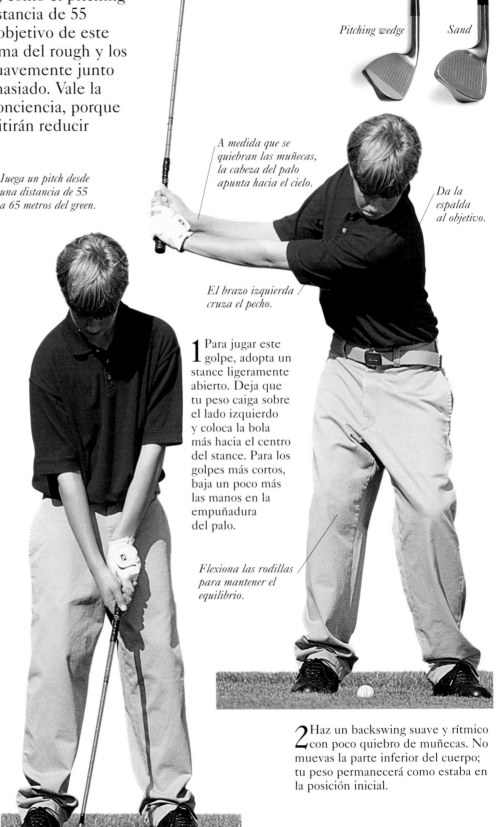

A medida que se quiebran las muñecas, la cabeza del palo apunta hacia el cielo.

Da la espalda al objetivo.

El brazo izquierda cruza el pecho.

1 Para jugar este golpe, adopta un stance ligeramente abierto. Deja que tu peso caiga sobre el lado izquierdo y coloca la bola más hacia el centro del stance. Para los golpes más cortos, baja un poco más las manos en la empuñadura del palo.

Flexiona las rodillas para mantener el equilibrio.

2 Haz un backswing suave y rítmico con poco quiebro de muñecas. No muevas la parte inferior del cuerpo; tu peso permanecerá como estaba en la posición inicial.

Levanta el palo bien por encima del hombro mientras haces el follow-through.

José María Olazábal

El campeón español José María Olazábal es famoso por su juego en corto. Aquí, el golpe con el pitch muestra el agresivo impacto «bola-hierba» necesario en estos golpes.

Mantén la cabeza quieta cuando descargas el golpe.

3 Golpea hacia abajo y a través de la bola, sin miedo a levantar una chuleta de hierba, para crear el impacto «bola-hierba». Este golpe le imprime un backspin (efecto cortado) a la bola y hace que se pare en el green.

4 El final debe reflejar el control que has mantenido durante el swing. Procura que el final tenga el mismo largo que la subida.

La práctica del pitch

Practicar el pitch con regularidad aumentará tu repertorio de golpes. Puedes ajustar la altura de los golpes moviendo la posición de la bola dentro del stance: juégala adelantada para que vuele alta y retrasada para que vuele baja.

1 Para un golpe de pitch sistemático, tu cuerpo debe estar abierto con respecto a la línea del golpe (con el pie izquierdo ligeramente detrás del derecho). Tus brazos deben colgar de forma cómoda con las manos colocadas un poco por delante de la bola.

2 Gira el tronco apartándolo del objetivo y deja que tus brazos suban hacia atrás. Para los golpes de pitch más cortos reduce el giro de los hombros.

3 Desenrosca el cuerpo y acelera la cabeza del palo a través del impacto para conseguir el golpe «bola-hierba». Mantén las manos y las muñecas pasivas mientras pasas el palo.

4 Continúa la rotación del cuerpo mientras la bola vuela hacia el objetivo. Deja que la cabeza se mueva junto con los hombros para acabar mirando al hoyo.

El chip

EL GOLPE DE CHIP SE EMPLEA alrededor del borde del green para levantar la bola y que corra hacia el hoyo. Es un golpe sencillo pero versátil que produce golpes de diversas alturas y distancias de acuerdo con el palo que use. Cuando lo practiques, es importante que pruebas con varios palos para aprender la máxima variedad de golpes posibles. Si estás muy cerca del green, tendrás que jugar un chip para enviar la bola hacia delante. Para este golpe siempre usa un palo con mucho ángulo.

Los golpes de chip se juegan desde el borde del green.

El chip-pat

El chip-pat es en realidad una prolongación del golpe largo con el pat (ver páginas 34 y 35). Es un golpe muy útil (y muy seguro) para jugarlo cuando la bola está más o menos a un metro del borde del green. Con un sencillo movimiento pendular puedes dar un golpe que levante la bola por encima del antegreen y la haga correr hacia la bandera como si fuera un pateo.

Hierro 7   Hierro 9

Palos diferentes

Practica con hierros diferentes para aprender variedad de golpes de chip. Cuanto menor ángulo tenga el palo (por ejemplo, un hierro 7), más bajo volará la bola y más correrá en el green. Un palo con más ángulo, como un hierro 9, hace que la bola vuele más alto y corra menos.

El chip

El secreto para un buen chip es la posición inicial ante la bola. Para recordarlo, piensa en «bola atrás, manos adelantadas, peso hacia delante» mientras te preparas para jugarlo. Una vez que estés colocado en una buena posición para el impacto, ejecutas el chip con un leve balanceo de los hombros y el tronco.

1 Colócate con un stance abierto, con el pie izquierdo ligeramente retrasado con respecto a la línea bola-objetivo, para que el cuerpo apunte a la izquierda del objetivo. Los pies tienen que estar un poco más juntos.

2 Comienza el golpe con un suave balanceo de los hombros y el tronco. Las manos y las muñecas responderán con naturalidad, manteniendo la cabeza del palo cerca del suelo mientras se mueve.

Mantén la mirada en la parte de atrás de la bola.

1 Para jugar el chip-pat, sujeta el palo bien abajo y juega la bola bastante retrasada en el stance, hacia el pie derecho. Utiliza el mismo grip del pat y comprueba que las manos están por delante de la bola.

2 Ejecuta un sencillo movimiento pendular con las manos y los brazos. La cabeza del palo se mantendrá cerca del suelo y se moverá hacia atrás unos sesenta centímetros. Mantén las manos pasivas.

3 Deja que el palo se mueva suavemente hacia el objetivo y levante la bola. Observa que los ángulos entre el palo, los brazos y los hombros siempre son los mismos.

Un consejo profesional

Si estás cerca de uno de los búnkers que protegen el green, tendrás que salvarlo con un chip y conseguir que la bola se frene. Da el golpe con un sand wedge, o un hierro 9, si el suelo es muy duro. Para el chip en terreno desigual delante del green, usa un hierro 7, 8 o 9.

Asegúrate de mantener la cabeza quieta en el impacto.

Tus manos deben volver a la posición inicial.

3 En el impacto, tus manos deben permanecer pasivas mientras el tronco gira hacia el objetivo y la bola comienza el vuelo. Un golpe ligeramente picado consigue que pellizques la bola con control.

4 El follow-through será corto y controlado. Mantén la mirada en la bola y observa como se desarrolla el golpe, tal como lo había imaginados. La bola aterrizará en el lugar elegido, y correrá hacia el hoyo.

Mantén los pies bien apoyados en el suelo para tener un buen equilibrio.

Juego desde el búnker

AGAZAPADOS EN LA CALLE y alrededor del green están los búnkers o trampas de arena. Para el principiante, los golpes desde el búnker pueden ser incómodos, pero con la práctica y la comprensión de la técnica básica, dejan de ser un problema. Para jugar desde el búnker necesitarás un sand. un palo diseñado específicamente para deslizarse por la arena y sacar la bola del búnker.

El sand

El sand es un hierro con una aleta (flange) en la parte inferior del palo. Este reborde actúa como un timón, permitiendo que el palo rebote en la arena en lugar de hundirse. El resultado es que la bola sale literalmente despedida del búnker con un colchón de arena.

Aleta

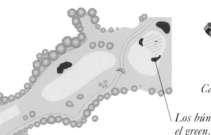

Cara cuadrada *Cara abierta*

Los búnkers protegen el green.

Golpes desde el búnker

En los golpes normales, el golpe de la cara del palo contra la bola tiene que ser limpio. Los golpes desde el búnker se distinguen porque la cara del palo no toca la bola. La cara del palo golpea la arena entre 3 y 5 cm detrás de la bola y se desliza a través de la arena justo por debajo de la superficie. Esto crea un colchón de arena en la cara del palo que impulsa la bola hacia arriba y la saca del búnker. Para conseguirlo, asegúrate de que la cara del palo esté abierta en el stance (ver arriba).

Hay que quebrar las muñecas en seguida en los golpes desde el búnker.

Consejo profesional
La distancia que volará la bola dependerá del largo del tu swing y de la cantidad de arena que desplaces por debajo de la bola. La bola volará más lejos cuanta menos arena muevas. La práctica te ayudará a entenderlo.

1 Para compensar la cara del palo abierta, juega con el stance abierto, de forma tal que la línea imaginaria que pasa por la punta de tus pies apunte a la izquierda del objetivo y la cara del palo apunte al objetivo. Juega la bola adelantada y el peso del cuerpo repártelo por igual.

2 No se permite que la cabeza del palo toque la arena antes del golpe. Por lo tanto, mantén la cabeza del palo por encima de la arena. Una vez adoptado el stance, basta que el swing siga la línea marcada por tus pies y las muñecas se quiebren para conseguir un buen golpe.

La cara abierta

Para aprovechar al máximo el diseño del sand, debes abrir la cara del palo antes de hacer el grip. Como regla general, cuanto más blanda sea la arena y más necesites que la bola vuele lo más alto posible, más tendrás que abrir la cara del palo.

1 Con solo la mano izquierda en el grip, gira la varilla hasta que la cara del palo gire unos cuantos grados a la derecha.

2 Una vez abierta la cara del palo, coloca la mano derecha y completa el grip.

Cuesta arriba

Con independencia de la posición de la bola en el búnker, siempre golpea la arena y no la bola. En un lie en pendiente, necesitarás poner los hombros paralelos a la pendiente en la posición inicial y, después, hacer un swing normal. En la foto, vemos como Per Ulrik Johansson descansa el peso en el pie retrasado y golpea con la cabeza del palo en la arena detrás de la bola.

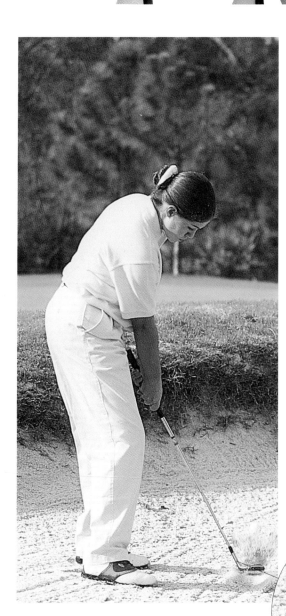

3 Concéntrate en un punto entre 3 y 5 cm detrás de la bola y no tengas miedo a pegarle a la arena con fuerza. El impulso de tu swing será absorbido por la arena en el impacto, así que necesitas pegar con fuerza para conseguir que la bola recorra una distancia pequeña.

4 Para conseguir un buen ritmo y una aceleración suave, tu follow-through debe tener por lo menos la misma longitud que el backswing. Mantén los pies hundidos en la arena para conseguir el mejor equilibrio posible.

La arena desplazada empuja la bola hacia delante.

El pat

EL OBJETIVO DEL GOLF es meter la bola en el hoyo en el menor número de golpes posibles. No importa lo bien que le pegues a la bola desde el tee hasta el green, meterla en el hoyo dependerá de tu habilidad en el pateo. Los golfistas profesionales pasan más tiempo practicando con el pat que con cualquier otro palo de la bolsa.

El green
La hierba del green está cortada muy baja para permitir que la bola ruede bien. Los greens varían de tamaño y nunca son planos. Están rodeados de dos o tres búnkers.

El grip del pat

En un buen golpe con el pat, las manos se ven pasivas, trabajando juntas como una unidad en el swing y en el control del recorrido del pat. El grip más común es el inverso superpuesto.

1 Apoya el grip bien alto en la palma de la mano izquierda. Esto ayuda a mantener firme la muñeca izquierda durante el golpe. Cuando cierras la mano, el pulgar izquierdo quedará apoyado en la parte superior de la varilla.

El golpe pendular

El movimiento básico del pat, que los buenos jugadores intentan conseguir, se conoce como el golpe pendular. Las manos y las muñecas permanecen pasivas, mientras los hombros balancean suavemente los brazos atrás y adelante para producir un golpe suave y controlado.

1 Para obtener una buena posición inicial, separa los pies el ancho de los hombros para estar bien equilibrado, inclínate hacia delante desde las caderas y deja que los brazos cuelguen con naturalidad. Apoya los brazos suavemente en el pecho. Esto crea una buena conexión entre los brazos y el cuerpo.

Tus manos deben estar un poco por delante de la bola en el stance.

Coloca la bola un poco adelantada al centro del stance.

Es fundamental una buena alineación. Asegúrate de que tu cuerpo está paralelo a la línea de pateo y de que tus ojos estén directamente encima de la bola. En la posición correcta, podrás mover la cabeza y ver la línea del pat hasta el hoyo.

Mantén la cabeza quieta.

2 Los brazos y los hombros trabajan como una unidad con ejecutas el golpe, mientras las manos y las muñecas permanecen pasivos cuando el pat se aleja suavemente de la bola.

La cabeza del pat se mantiene cerca del suelo.

Cabeza de mazo grande

Cabeza de mazo

Recto punta-talón

Con reborde

Punta-talón desplazado

Diferentes pats

Hay muchos tipos de pats, incluido el blade tradicional, el de peso repartido entre punta y talón, y los de cabeza de mazo. Prueba con varios tipos hasta dar con el pat que te parezca mejor y te resulte más cómodo cuando te colocas detrás de la bola.

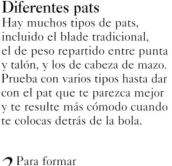

2 Cuando coloques la mano derecha, asegúrate de que la parte carnosa en la base del pulgar derecho cubra el pulgar izquierdo. Los dedos envuelven el grip para asegurar la mano.

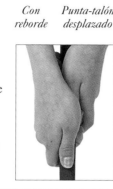

3 Para formar el grip inverso superpuesto, pasa el dedo índice izquierdo por encima de los dedos de la mano derecha. Esto sujeta las dos manos juntas y te da una buena sensación de control.

Un pateo perfecto

La sueca Annika Sorenstam muestra una terminación perfecta, aguantando el follow-through en equilibro mientras mira como la bola rueda hacia el hoyo.

Imagina que el triángulo creado por los brazos y los hombros mantiene su forma durante un buen swing pendular.

3 Los brazos y los hombros deben continuar trabajando juntos para producir una acción firme a través de la bola. El pat acelera suavemente a través del impacto para que la bola ruede hacia el hoyo.

La muñeca izquierda permanece firme, guiando la cabeza del pat a lo largo de la línea.

Los pies y las piernas deben permanecer quieto durante el golpe.

Posición firme

Intenta sostener la cabeza del pat justo por encima del suelo. Algunos jugadores lo prefieren porque les permite una posición firme.

4 Cuanto más tiempo resistas la tentación de mirar el recorrido de la bola, mayores serán las probabilidades de éxito. Muchos pateos se fallan por levantar la cabeza demasiado rápido. ¡Intenta no mirar!

Jugar la bola más adelantada en el stance hace que el golpe sea ascendente o liftado, consiguiendo que la bola ruede de verdad sobre el green.

Mejorando el pat

E N CUANTO APRENDAS los principios básicos del pateo, puedes desarrollar el toque en el green con una gran variedad de ejercicios. Estos te ayudarán a concentrarte en el trabajo de dar el golpe y enviar la bola al hoyo. Recuérdalo, patear bien es lo que cuenta para un buen resultado, así que ¡practica con regularidad!

Practica con un amigo

La competición aguzará tus instintos en el green. Cuando practiques con un amigo, añade un poco de presión compitiendo por el hoyo. Poneos uno a cada lado del hoyo y patead una bola cada uno, alternativamente. Cada vez que metáis el pateo, os apuntáis un punto. Jugad hasta que uno de los dos obtenga cinco puntos y después cambiad de lado.

Comprueba tu lineación

Los pateos cortos son los que más se fallan debido a un error básico en la posición inicial. Por lo tanto, vigila con mucho cuidado la alineación del pat. Cuando practiques, acomódate para un pateo corto y recto, y pídele a un amigo que compruebe si apuntas el pat correctamente. Después podrás devolverle el favor.

Asegúrate de que tu mirada está en la línea de pateo.

El pat tiene que estar cuadrado en la posición inicial.

Intenta mandar la bola a la parte de atrás del hoyo.

Rodea el hoyo

La confianza es la clave para hacer buenos pateos y repetirlos cuando estés presionado. Puedes ganar confianza practicando desde una distancia de 1 a 2 metros del hoyo. Practica colocando cuatro o cinco bolas en círculo alrededor del hoyo e intenta meterlas todas, una por una.

David Frost

Apunta a la marca del fabricante impresa en el bola en la línea del pateo. Esto te ayudará a alinear el cuerpo y a cuadrar la cara del pat con la línea del pateo, como lo demuestra el sudafricano David Frost.

Mide el largo del golpe para comparar el largo de cada pateo.

Aprende a leer los pateos

Hay muy pocos greens que sean completamente planos, así que necesitarás apuntar a la izquierda o a la derecha para permitir que la bola compense las pendientes. La desviación que deberás calcular se llama «caída». La línea que escojas también dependerá de lo rápido que quieras jugar el pateo; cuanto más fuerte pegues, menor cambiará de dirección o caerá la bola. Busca un green con pendiente y practica pateos de aproximación desde una distancia entre 10 y 13 metros. La experiencia te enseñara a leer las sutiles caídas del green y a calcular la velocidad que quieres darle a la bola.

Control de la distancia

Para desarrollar el cálculo de la distancia, elige tres hoyos en el green de prácticas que te permitan lanzar pateos de, digamos 7, 8 y 9 metros, y patea en el orden que quieras. El largo del golpe deberá controlar la distancia que rodará la bola. Un pateo largo requiere un golpe largo y un pateo corto un golpe corto.

Ejercicio de práctica

Para los pateos cortos, de 1 a 2 metros del hoyo, lo más importante es la precisión. Este sencillo ejercicio te ayudará a sentir el movimiento correcto del pat cuando des golpes cortos. Puedes ensayar este golpe tanto en el green como en la moqueta de tu casa.

1 Haz una calle colocando dos palos paralelos en el suelo. Ponte en la posición inicial y asegúrate de que los pies, las caderas y los hombros están cuadrados con el carril. Luego, da golpes cortos, manteniendo el pat entre los dos palos.

Da golpes cortos y controlados, y mantén la mirada en la bola.

2 Piensa en el ritmo del golpe mientras aceleras «a través» de la bola. El pat debe estar cuadrado con la línea de pateo cuando acabes el golpe.

Mueve el pat a través del impacto y manda la bola hacia el objetivo.

Golpes complicados

Tiros altos

INCLUSO LOS MÁS GRANDES jugadores a menudo se ven en situaciones comprometidas en el campo. Cuando se encuentran con la bola en una mala posición, adoptan la técnica básica para devolver la bola a la calle. Para desarrollar estos golpes, necesitarás tener imaginación y ganas de aprender. Cuando practiques, desafíate a ti mismo a jugar unos cuantos golpes difíciles e improvisa para encontrar la manera de salir del apuro. No tardarás en ver cómo mejora tu control de la bola.

Si juegas en un campo con las calles bordeadas de árboles, es muy probable que, en algún momento, te enfrentes a un golpe como éste, donde los árboles están entre el objetivo y tú. Esto significa por lo general que tendrás que hacer volar la bola por encima de los árboles. Para jugar esta clase de golpes, necesitarás hacer un par de ajustes en la posición inicial y después hacer el swing normal.

El efecto de la bola
Cuando tengas que jugar un golpe alto, recuerda que el efecto que le imprimas a la bola la hará volar de izquierda a derecha. Tenlo presente cuando apuntes.

1 Juega la bola un poco más adelantada de lo habitual. En esta foto, el wedge está colocado en línea con el interior del talón izquierdo. El stance será un poco abierto, con casi todo el peso en el lado derecho.

Golpes seguros en el agua
Si tu bola cae en el agua, asegurarte de saber la profundidad antes de querer recuperar la bola. También, comprueba si hay piedras sumergidas. ¡Puede resultar peligroso caminar sobre ellas!

Golpes en el agua

Por lo general, cuando tu bola desaparece en un obstáculo de agua tendrá que declararla injugable y apuntarte un golpe de penalización. En este caso, un golpe de penalización significa dejar caer la bola en la hierba (dropar) alrededor del agua, lo que se cuenta como un golpe. Sin embargo, si encuentras que la bola está en agua poco profunda y parte de la bola asoma por encima de la superficie, puedes jugar la bola como si estuviera en el búnker. Aquí, el norteamericano Payne Stewart pega en el agua para levantar al bola.

2 Mantén el peso en el lado derecho, mientras haces el backswing normal. A partir de aquí, concéntrate en mantener el peso firme durante el golpe y en deslizar la cara del palo por debajo de la bola.

3 No intentes ayudar a que la bola vuele. La posición adelantada de la bola asegurará que el palo haga contacto con la bola cuando sube. Esto producirá automáticamente un tiro alto.

4 Intenta acabar con el tronco un tanto arqueado apartándose del objetivo y las manos bien arriba. Un follow-through equilibrado refleja el tipo de golpe que has intentado dar.

El «huevo frito»

Abrir la cara del sand y hacer un swing con forma de «U» es lo adecuado para casi todos los golpes en el búnker. Pero cuando la bola está en posición de «huevo frito» (enterrada en la arena), tendrás que usar una técnica diferente para hundir la cara en la arena alterando el stance.

Mantén el peso centrado sobre la bola.

Asegúrate de que estás paralelo a la línea de tiro.

Mantén la cabeza del palo apuntando al cielo.

Asegúrate de que la cara del palo mira al objetivo.

Ballesteros adapta el swing para dar un golpe bajo.

1 Colócate con la cara del palo y el stance cuadrado con la línea de tiro. Juega la bola desde el centro del stance.

2 Intenta golpear la arena 2 o 3 cm detrás de la bola. Haz un swing más vertical y con forma de «U», quebrando mucho las muñecas en el backswing.

3 Golpea la arena con fuerza para que la explosión de arena levante la bola.

Seve Ballesteros
El español Seve Ballesteros juega un golpe bajo desde debajo de un árbol. Se agacha mucho para reducir la altura del golpe.

Juego con mal tiempo

LAS VARIACIONES DEL TIEMPO añaden otra complicación al juego del golf. No sólo te enfrentas a los problemas del campo, sino que tienes que vértelas con el viento y la lluvia. Todos los golfistas prefieren jugar con sol, pero si te equipas correctamente y te acomodas al mal tiempo, te lo pasarás bien.

El galés Ian Wossnam se protege mientras prepara el siguiente golpe.

El cadi

Un buen cadi es esencial para los jugadores profesionales, sobre todo cuando llueve. Es trabajo del cadi procurar que los palos estén limpios y secos, y que el jugador esté protegido contra los elementos entre golpe y golpe.

Un paraguas grande impedirá que tú y el equipo os mojéis demasiado en el campo.

Un gorro de lana te mantendrá caliente sin restringirte la visión.

Viento de cara

Debido a que el viento exagera cualquier efecto que le des a la bola, debes resistir la tentación de pegar más fuerte cuando juegas un golpe con el viento de cara.

Ten siempre una toalla a mano.

Un guante sintético para todo tiempo te ayudará a mantener un buen grip cuando llueve.

Las prendas de lluvia

Si te tomas en serio jugar al golf, necesitarás equiparte con prendas de lluvia. Esto te permitirá jugar al golf mientras te mantienes relativamente caliente y seco. La mayoría de los fabricantes de prendas deportivas fabrican prendas livianas y a prueba de agua diseñadas específicamente para los rigores del golf. Vale la pena invertir en guantes de golf impermeables, ya que necesitarás tener las manos calientes para hacer un grip relajado. Llévate más de un par al campo, por si acaso el otro acaba empapado.

Las prendas impermeables deben ser amplias para que puedas hacer el swing fácilmente.

El cuidado del equipo

Con mal tiempo, los palos se mojarán y se ensuciarán. Esto no sólo daña un equipo que es muy caro, sino que puede impedirte jugar bien. Limpia tus palos con regularidad.

Limpiar las estrías

Las estrías en la cara de los palos están diseñadas para agarrarse y controlar la bola, así que es importante mantenerlas limpias para que funcionen correctamente. Esto es muy cierto cuando el suelo está blando y mojado. Usa la punta de un tee para sacar la tierra de las estrías.

El grip seco

Comprueba que el grip y la varilla estén secos antes de ejecutar el golpe. De lo contrario, el palo puede resbalar y harás un swing incorrecto.

La toalla

Limpia la cara del palo con una toalla. Utilízala también para mantener secos los grips. Cuando regreses a casa después de jugar con mal tiempo, no te olvides de limpiar y secar los palos y los zapatos.

Jugar con viento

Las rachas de viento fuerte te dificultarán el equilibrio y golpear la bola con solidez. Las prendas de agua también restringen los movimientos. Para combatir estas condiciones adversas, lo mejor es bajar el grip y hacer un swing lo más lento y suave posible.

1 En todos los swings, pon los pies un poco más separados de lo normal. Reparte el peso entre los pies y juega la bola hacia el centro del stance. Esto te ayudará a que la bola vuele baja y no la afecte tanto el viento.

Un stance un poco más amplio de lo normal te dará una buena base cuando sopla viento.

Las prendas de agua son una parte esencial del equipo cuando hace mal tiempo.

Mantén firme la parte inferior del cuerpo.

Acortar el grip aumenta el control de la bola.

Ajusta el grip

Con mal tiempo, tendrás que sujetar la varilla entre 4 y 6 centímetros más abajo de lo normal. Acortar el grip de esta manera te dará una mayor sensación de control y te ayudará a mantener la bola baja, cuando sopla el viento.

2 Mantén quieta la parte inferior del cuerpo mientras haces tres cuartos de swing. El palo no llega a la posición horizontal en lo más alto. Pega suave a la bola para obtener un final en equilibrio y controlado.

Profesores y práctica

P ARA APROVECHAR AL MÁXIMO tu talento natural para el golf, tendrías que tomar clases e intentar practicar todo lo posible. Las clases con un profesional te ayudarán a evitar los errores típicos y te darán un swing para toda la vida. En todos los clubes de golf hay profesionales que dan clases a niños y principiantes.

Un buen profesor usará una cámara de video para grabar los movimientos claves de su swing.

Lleva un registro

Controla tus progresos tomando notas cada vez que juegas al golf. Comenta la precisión de los golpes de salida y desde la calle, el juego en corto alrededor del green y el número de pateos en cada vuelta. Esto te indicará cuál es la parte que más debes practicar.

Usa una cámara de video

Vernos es una parte muy valiosa del aprendizaje. Con la ayuda de una cámara de video puedes ver cómo progresas. Podrás controlar la postura y ver los errores que cometes al hacer el swing. La mayoría de los profesionales utilizan el vídeo para mejorar todos los aspectos de su juego, incluido el pateo.

Un buen profesor mostrará y explicará las técnicas con términos sencillos.

Los clases en grupo pueden ser divertidas además de efectivas porque podrás practicar con compañeros.

Truco profesional
Conseguirás mejor resultados mejorando el juego en corto. Dedica la mitad de la práctica a trabajar el chip, el pitch y el pateo.

Un profesor profesional

En la situación ideal, tendrías que encontrar un profesional que se encargará de enseñarte los elementos básicos del swing y te preparará un programa de aprendizaje específico. Un buen profesional estimulará tu talento individual y te enseñará ejercicios prácticos que no sólo te ayudarán a disfrutar del juego, sino también a acelerar el aprendizaje.

En el campo de prácticas

Recuerda que lo importante es la calidad y no la cantidad de horas de práctica. La mayoría de los clubes tienen campos de práctica donde puedes ensayar tus habilidades antes de pasar al campo. Organiza tus horas de práctica de forma tal que trabajes todas las suertes del juego: el drive, los hierros, el juego en corto y el pateo. A medida que mejores, haz como los profesionales y dedica más tiempo al juego en corto. Puedes practicar con los amigos para mejorar tu espíritu competitivo.

Consejo profesional
Calienta los músculos antes de trabajar tu juego. Es tan importante hacerlo antes de una sesión de práctica como cuando lo haces para salir a jugar al campo.

Un buen profesor ayuda a mejorar la técnica y la confianza del jugador.

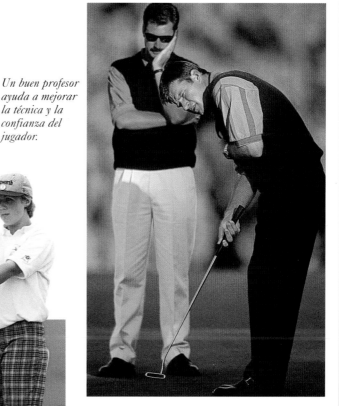

Los finalistas de la Faldo Junior Series reciben una clase personal del campeón.

El primero de la clase

Cada año, jugadores infantiles compiten en la Faldo Junior Series. Uno de los incentivos para llegar a la final es la oportunidad de tomar lecciones con Nick Faldo, ganador de seis grandes torneos. En la foto, Nick Faldo explica los secretos del swing a uno de los afortunados finalistas.

Incluso los profesionales necesitan profesor

No sólo los principiantes toman clases. Jugadores como Nick Faldo tienen un profesor particular para controlar la consistencia de su swing y estar atentos a cualquier fallo que pueda surgir de vez en cuando. ¡Nunca dejarás de aprender por mucha experiencia que tengas!

Seguir avanzando

COMO OS DIRÍA CUALQUIER profesional, la única manera de mejorar tu juego es practicar y competir todo lo posible. A medida que progreses y bajes poco a poco tu handicap, te encontrarás enfrentado a jugadores como más experiencia. Necesitarás perfeccionar no sólo tu técnica, sino también tu fortaleza mental para jugar bien bajo presión. Sólo los mejores llegan a la cumbre del golf profesional, pero todos los que juegan al golf pueden disfrutar de sus desafíos y las satisfacciones que proporciona.

Competiciones juveniles

La competición con otro jugadores de tu misma edad te ayudará a mejor el juego y es una buena manera de hacer amigos golfistas. Probablemente habrá un circuito de torneos juveniles en tu provincia, que te permitirá competir con regularidad, sobre todo en los meses de verano. Visita o llama a los clubes locales para enterarte de los torneos juveniles.

Faldo Junior Series

El trabajo duro y la ambición ayudaron a este joven jugador a ganar en su grupo de edad en las finales de la Faldo Junior Series. En la foto, Nick Faldo y el príncipe Andrés, un gran aficionado al golf, entregan el trofeo.

Tiger Woods jugó su primer torneo del Tour norteamericano con 16 años y, desde que cumplió los 23, es el número 1 del mundo.

Tiger Woods

Tiger Woods comenzó a jugar al golf a la edad de tres años y es ahora una de las grandes superestrellas del juego. Después de ganar tres US Amateur Championships consecutivos, Woods ganó como profesional el US Masters de 1997. El gancho personal de Tiger ha atraído a todos los jóvenes del mundo.

La escuela de calificación

Convertirse en profesional significa asistir a la escuela de calificación, donde varios centenares de jóvenes jugadores compiten cada año por un puñado de tarjetas para el Tour. La escuela «Q» –como se la conoce– es una verdadera prueba de nervios. Conseguir la calificación de profesional requiere un gran talento y confianza, y sólo los mejores consiguen el pase a la categoría. Al final de su período en la escuela, los jugadores miran el marcador final para saber si han conseguido el nivel profesional.

Los grandes torneos

 EL MASTERS TOURNAMENT
Se juega en abril en Augusta, Georgia, sólo por invitación. El Masters es el primero de los cuatro grandes campeonatos de la temporada golfística que forman el Gran Slam.

 EL US OPEN CHAMPIONSHIP
Se disputa en el mes de junio en diferentes campos y está abierto a profesionales y amateurs.

 EL BRITISH OPEN CHAMPIONSHIP
Siempre se juega en julio en los links y es el más antiguo de los cuatro grandes.

 EL US PGA CHAMPIONSHIP
Sólo para profesionales, se disputa en agosto en diferentes campos.

 LA RYDER CUP
Un torneo bienal que se alterna en Estados Unidos y Europa. Se juega durante tres días en las modalidades de foursome, four-ball e individuales.

 EL WOMEN'S US OPEN CHAMPIONSHIP
Compiten las profesionales y las amateurs. Cada año se juega en un campo diferente.

LA SOLHEIM CUP
Es similar a la Ryder Cup. La primera edición se jugó en 1990 y se juega entre los equipos femeninos de Estados Unidos y Europa.

La Ryder Cup

Es el torneo por equipos profesionales más famoso del golf. La primera Ryder Cup se jugó en 1927 para fomentar la amistad entre los golfistas norteamericanos e ingleses. Estados Unidos dominó los torneos hasta 1977, cuando el equipo británico se amplió para incluir a los jugadores europeos. En la foto, el equipo capitaneado por Seve Ballesteros que ganó la copa en 1997.

Golf femenino

En los últimos años, el golf femenino profesional ha alcanzado una gran expansión a medida que aumenta el número de mujeres que juegan al golf. La mayoría de las grandes jugadoras pertenecen al circuito del US Ladies Professional Golfer's Association, mientras que Europa ha dado muchas jugadoras de gran talento, como la británica Laura Davies y la sueca Anika Sorenstam.

Johanna Head compitiendo en el WPGH Amex Tour Players Classic.

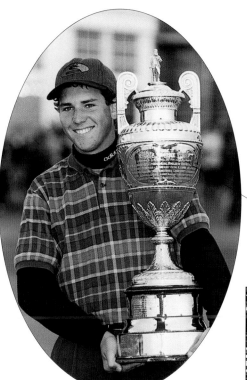

El preciado trofeo del British Amateur Championship.

Sergio García

Para muchos es la respuesta europea a Tiger Woods. El español Sergio García tenía el handicap más bajo del mundo con menos 5 antes de convertirse en profesional en 1999 a la edad de 19 años. Entre las muchas victorias conseguidas en su brillante carrera amateur está el British Amateur Championship en 1998.

El golf en televisión

La popularidad del golf queda reflejada en la cobertura que le brinda la televisión. Además de los principales campeonatos y los torneos por equipos, se incorpora ahora el nuevo World Golf Championship, que reúne a los cien mejores jugadores del mundo en cinco torneos anuales, algo que animará todavía más el interés de la audiencia y atraerá nuevos jugadores a este juego.

Glosario

A

Albatros: Término que en Europa describe un resultado en el hoyo de tres golpes por debajo del par. En Estados Unidos este resultado se llama «double eagle».

Alineación: La dirección en que miran la cara del palo y el cuerpo cuando el jugador se coloca en posición o golpea la bola.

Antegreen: La franja de hierba entre la calle y el green. La hierba es un poco más alta que la del green, pero más corta que la de la calle.

Approach o golpe de aproximación: Cualquier tiro al green desde una distancia entre 45 a 137 metros.

B

Backswing: Parte del swing en que el movimiento del palo se aparta de la bola y llega hasta lo más alto, antes de iniciar el movimiento de bajada.

Birdie: Jugar un hoyo un golpe por debajo del par.

Bogey: Jugar un hoyo un golpe por encima del par. Un doble bogey es completar un hoyo dos golpes por encima del par y así sucesivamente.

«¡Bola!»: El grito que da el jugador para advertir a los otros jugadores que una bola va en su dirección.

Búnker: Un obstáculo lleno de arena que se encuentra alrededor de los greens y en las calles.

C

Cadi: Una persona que carga con la bolsa de palos del jugador durante el recorrido.

Calle: La parte del recorrido que va desde el tee de salida al green.

Chip: Un golpe corto al green.

Chip-pat: Un golpe corto hacia el green que es una combinación entre un chip y un pat.

Chuleta: El trozo de hierba que se arranca cuando la cabeza del palo golpea el suelo después de impactar en la bola.

D

Downswing: parte del swing; el movimiento descendente del palo después de completar el backswing y antes del impacto.

Driver: El palo más potente y largo de la bolsa, también conocido como madera 1.

E

Eagle: Un hoyo completado con dos golpes por debajo del par.

Embocar: Completar el hoyo, metiendo la bola en el agujero del green.

Estrías: Los surcos cortados en la cara del hierro o la madera.

F

Follow-through: El movimiento final del swing.

Fourball: Partido por parejas. Cada jugador de la pareja juega una bola y, después, se anota el resultado del que haya hecho menos golpes.

Foursome: Partido por parejas. La pareja juega con una sola bola y se alternan en los golpes a la misma.

Fuera de límites: Las zonas del recorrido que están más allá de los límites señalados con estacas blancas.

G

Green: La zona de hierba muy segada donde se patea la bola para meterla en el hoyo.

Grip: La parte de la varilla cubierta de goma o cuero donde se sujetan las manos del jugador. También significa el modo como el jugador sujeta el palo.

Grip de béisbol: Una manera de sujetar el palo con las manos una detrás de la otra.

Grip entrecruzado: Una manera de sujetar el palo con el dedo meñique de la mano derecha entrelazado con el dedo índice de la mano izquierda (lo opuesto se aplica para el jugador zurdo).

Grip Vardon: Una manera de sujetar el grip en el que el meñique de la mano derecha se superpone al dedo índice de la mano izquierda (a la inversa en el caso de los jugadores zurdos).

H

Handicap: El promedio asignado a cada jugador que marca la diferencia media entre su resultado y el par del campo.

Handicap del hoyo: Señala el grado de dificultad de cada hoyo.

Hierros: Los palos, numerados del 1 al sand wedge, que se utilizan para la mayoría de los golpes en la calle y alrededor del green. Los hierros, por lo general, son de acero.

Hoyo: Toda la zona comprendida entre el tee y el green; también es el agujero en el suelo del green. El agujero tiene un diámetro de 10,8 cms.

Hundida: Una bola clavada en su propio pique en la arena o en la calle blanda.

I

Impacto: La parte del golpe cuando la cara del palo hace contacto con la bola.

L

Lie: La posición de la bola en el suelo. También es el ángulo entre la cabeza del palo y la varilla.

Límites: El límite exterior de un campo de golf.

Línea de tiro: La línea imaginaria que va desde la bola al objetivo.

Loft: El ángulo de la cara del palo. Este ángulo aumenta con el número del hierro y da un golpe de más altura con menor distancia.

M

Madera: Nombre que se le da a los palos que alcanzan mayor distancia. La cabeza del palo puede ser de madera o metálica.

Medal, partido: Una forma de anotar donde el número de golpes que da un jugador para completar el recorrido se compara con el resultado de su rival. Es otro nombre para el strokeplay.

Meneo: Un movimiento suave de las muñecas atrás y adelante para relajar los músculos antes del swing.

P

Par: El resultado que obtendría un jugador de primera clase en un hoyo, contando dos golpes en el green.

Pat: El tipo de palo utilizado para el pat.

Patear: Un golpe corto que se juega con el pat o putter en el green para enviar la bola al hoyo.

Pitch: Un tiro de aproximación al green, donde la bola vuela muy alto.

Posición inicial: La posición inicial antes de un golpe; también se le llama «stance». Es la alineación correcta del cuerpo del jugador con la bola y el objetivo.

Q

Quebrar las muñecas: Ejecutar un movimiento de bisagra con las muñecas cuando comienza el swing.

R

Resultado neto: Es el resultado final que obtiene el jugador después de restar el handicap del número de golpes dados.

Rough: La zona de hierba no segada a lo largo de las calles para penalizar los golpes desviados.

S

Sand wedge: Un palo con mucho ángulo y un reborde en la base de la cabeza que se utiliza para jugar desde el búnker.

Spin: La rotación de la bola después del impacto, lo que nosotros conocemos como «efecto».

Stableford: Un sistema de contar el resultado asignando puntos por hoyos. Si el jugador hace un bogey, se le cuenta un punto.

Stance: La posición que adopta el jugador cuando se coloca delante de la bola.

Stance abierto: Se dice que el stance es abierto cuando la línea del cuerpo apunta a la izquierda del objetivo (o a la derecha si es un jugador zurdo).

Stance cerrado: Se dice que el stance es cerrado cuando la línea del cuerpo del jugador apunta a la derecha del objetivo. (A la izquierda si el jugador es zurdo).

Stance cuadrado: Un stance donde la línea del cuerpo (la de los pies y los hombros) es paralela a la linea bola-objetivo.

Suela: La parte de la cabeza del palo que se apoya en el suelo.

Swing: El movimiento continuo de la cabeza del palo desde el momento que se aparta de la posición inicial, llega a lo más alto del backswing, baja para impactar la bola y continúa en el follow-through.

T

Takeaway: Forma parte del swing. Es el primer movimiento del palo desde la posición inicial mientras comienza el backswing.

Tee de salida: Una zona de hierba segada donde el jugador da el primer golpe.

Tees: Las pequeñas estaquillas de madera o plástico donde se apoya la bola en el tee de salida.

Trayectoria del swing: La dirección que sigue la cabeza del palo a lo largo del swing.

V

Varilla: La varilla que une el grip con la cabeza del palo.

Vuelta: El recorrido por todos los hoyos del campo que, por lo general, consta de 18.

Direcciones útiles

Real Federación Española de Golf
Capitán Haya, 9, 5º
28002 Madrid

Federación Andaluza
Sierra de Grazalema, 33
Conjunto Residencial, 5, 1º B
29016 Málaga

Federación Balear
Avenida Jaime III, 17
Despacho 16, I
07012 Palma de Mallorca

Federación de Canarias
Concepción Arenal, 20
Edificio Cantabria
35006 Barcelona

Federación Catalana
Aribau, 282, 2º, 3ª
08006 Barcelona

Federación Castilla-León
Padre Francisco Suárez, 29, 1º B
47006 Valladolid

Federación Gallega
Avda. Peruleiro, 8, 1ª Dcha, D
15011 La Coruña

Federación Valenciana
Avda. Barón de Cárcer, 37, 4º 18º
46001 Valencia

Federación Vasca
Plaza de Euskadi, 1, 2º
Edificio la Equitativa
20002 San Sebastián

Índice

Agradecimientos

Dorling Kindersley agradece a las siguientes personas su ayuda en la realización de este libro:

Un agradecimiento especial a todos los jóvenes golfistas por su entusiasmo y paciencia durante las sesiones fotográficas; al Bowood Golf & Country Club por el uso del campo; a Mizuno Corporation (UK), Reebok UK, Taylor Made Adidas, Footjoy y Calloway por suministrar el material de golf; a Karl Shone por las fotografías adicionales; a Andy Komorowski por la asesoría fotográfica; a Marcus James por la asesoría en el diseño; a Hilary Bird por el índice; a Howard Cruthers, Caroline Greene, Clare Lister y Penny York por la asesoria

editorial; a Mollie Gillard por la documentación de fotografías adicionales; a Simon J. M. Oon y Karen Liebeman por el diseño de la cubierta.

Créditos de las fotografías
Clave: c: centro; b: abajo; d: derecha; i:izquierda; a: arriba.

Action Plus: *44 ad;* Glyn Kirk *11 bd;*
Allsport: *39 bd,* Andrew Redington *23 bd, 34 ad, 35 ad, 43 cd, 45 cb,* Andy Lyons *15 ad,* Dave Cannon *5 bc, 9 ad, 40 ad,* David Cannon *4 bd, 5 bd, 8 bi, 8 ad, 8 c, 8 bc, 9 ac, 29ai, 43 bc, 44 ci, 45 cd,* Ken Levine *44 cd,* Paul Severn *7 ai,* Peter McEvoy *9 bc,* Rusty Jarrett *45 ad,* Simon Bruty *38 ai,* Stephen Munday *4 ad, 8 ci, 44 bi, 45 bc;*
British Library: *5 ai;*
Brown Brothers: *5 bc;*
Colorsport: *33 ad;*
Peter Dazeley: *4 c, 4 cd, 4 bi;*
Hulton Getty: *5 cib;*
Sotheby's Transparency Library: *5 ad;*
Sporting Pictures (UK) Ltd: *24 ad.*

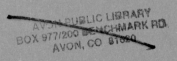